Garota Online
EM CARREIRA SOLO

Livros de Zoe Sugg

GAROTA ONLINE

GAROTA ONLINE EM TURNÊ

Siga Zoe no Twitter e Instagram

@zoella

www.zoella.co.uk

www.girlonlinebooks.com

ZOE SUGG

Garota Online
EM CARREIRA SOLO

Tradução
Débora Isidoro

1ª edição
Rio de Janeiro-RJ / Campinas-SP, 2019

VERUS
EDITORA

Editora
Raïssa Castro
Coordenadora editorial
Ana Paula Gomes
Copidesque
Maria Lúcia A Mayer
Revisão
Cleide Salme
Projeto gráfico
André S. Tavares da Silva

Diagramação
Juliana Brandt
Capa
Adaptação da original (Penguin Books Ltd)
Fotos da capa
© Aleksandra H. Kossowska/Shutterstock (flores)
© A. and I. Kruck/Shutterstock (câmera)
© tomertu/Shutterstock (máscara)
© Andrew Paterson/Getty Images (coração)

Título original
Girl Online Going Solo

ISBN: 978-85-7686-792-0

Verus Editora Ltda.
Rua Benedicto Aristides Ribeiro, 41, Jd. Santa Genebra II, Campinas/SP, 13084-753
Fone/Fax: (19) 3249-0001 | www.veruseditora.com.br

CIP-BRASIL. CATALOGAÇÃO NA FONTE
SINDICATO NACIONAL DOS EDITORES DE LIVROS, RJ

S944g

Sugg, Zoe, 1990-
Garota online em carreira solo / Zoe Sugg ; [tradução Débora Isidoro]. - 1 ed. - Campinas, SP : Verus, 2019.
23 cm.

Tradução de: Girl Online Going Solo
Sequência de: Girl online em turnê

ISBN 978-85-7686-792-0

1. Romance inglês. I. Isidoro, Débora. II. Título.

19-58267 CDD: 823
CDU: 82-31(410-1)

Leandra Felix da Cruz – Bibliotecária – CRB-7/6135

Revisado conforme o novo acordo ortográfico

Para os meus adoráveis visitantes, leitores e fãs, obrigada pelo apoio constante e por compartilharem do meu amor por Penny e sua história. Espero que continuem seguindo seus sonhos até eles se tornarem realidade.

Se eu consegui, vocês também conseguem!

15 de setembro

Onde Está Noah Flynn?

Uma pequena interrupção da agenda regular de postagens!

Se você é leitor regular do *Garota Online*, sabe que adoro responder às suas perguntas, seja na seção de comentários ou por e-mail. Apesar de a maioria ser muito legal e perguntar sobre coisas normais, como meu novo ano letivo e como estou me organizando para cumprir as tarefas do curso e os prazos das provas, também tenho minha caixa de entrada inundada de perguntas sobre Noah Flynn. Mais especificamente: Onde ele está? O que está fazendo? Por que ele abandonou a turnê mundial do The Sketch?

Isso não está acontecendo só aqui no meu blog, mas em todas as redes sociais nas quais tenho conta, e na vida real também! Então decidi que é hora de esclarecer o que eu sei.

Se você é um novo leitor do meu blog, pode não saber que Noah e eu namorávamos (ênfase no passado, "namorávamos"). Os leitores antigos também podem conhecê-lo como "Garoto Brooklyn", e, embora eu não escreva sobre ele há algum tempo, sobre nós, na verdade, seu recente hiato tem feito muita gente se perguntar a respeito de Noah.

Então, respira fundo, aqui vai a verdade: Eu também não sei. Sei tanto quanto vocês, e só me resta torcer para ele estar bem e feliz, seja lá o que esteja fazendo. Seu empresário deu esta declaração:

"Por ter que conciliar uma pesada carga de trabalho e questões pessoais, Noah tomou a decisão de deixar a turnê do The Sketch um mês antes do previsto.

Ele pede desculpas aos fãs por qualquer decepção que tenha causado e agradece pelo apoio de sempre."

E isso é o que eu tenho para dizer. Infelizmente, ser amiga do Noah não significa que o tenho automaticamente rastreado por GPS, que posso logar em um aplicativo no meu celular e ver onde ele está (embora tenha certeza de que minha mãe faz isso comigo e com o meu irmão). Tudo que posso dizer a vocês é que conheço o Noah, e ele não teria tomado essa decisão sem um bom motivo. Mas ele também é um cara muito forte, e tenho certeza de que estará de volta antes que a gente perceba.

Espero que isso responda às suas perguntas e que possamos retomar a vida normal aqui no *Garota Online*.

E aos que nem imaginam sobre o que estou falando... desculpa, haha! E, Noah, se você está lendo, responda às minhas mensagens ou vou ter que mandar um detetive particular atrás de você.

Garota Online, saindo do ar xxx

1

Assim que termino o post do blog, entrego meu laptop ao Elliot.

— Acha que ficou bom?

Ele lê o texto na tela, e eu mordo o canto da unha do dedinho em sinal de preocupação.

— Acho que sim — ele responde depois de alguns segundos de agonia.

De posse da confirmação, pego o laptop de volta e clico em publicar antes de mudar de ideia. Imediatamente, sinto que me livrei de um peso de cima dos ombros. Agora está feito. Não posso retirar o que disse. Minha "declaração" está oficialmente dada, embora seja ridículo que eu tenha que fazer uma declaração. Meu rosto esquenta e percebo como essa situação me deixa brava...

Elliot tosse alto, interrompendo meu fluxo de pensamentos. Ele tem um canto da boca retraído, o que me desanima, porque sei que está preocupado.

— É verdade que não tem notícias do Noah desde o meio de agosto?

Dou de ombros.

— Nenhuma.

Não consigo acreditar. O Garoto Brooklyn está decepcionando a gente.

Repito o gesto com os ombros. É a única coisa que consigo fazer. Se pensar muito nisso, todas as emoções que estou me esforçando para esconder vão transbordar.

— Só recebi esse SMS. — Pego o celular e abro a mensagem. — Olha.

Desculpa, Penny. Isso tudo é demais para mim. Vou sair da turnê e dar um tempo. Eu te procuro logo Nx

Não sei qual é a definição de Noah para "logo", mas faz mais de um mês que não sei nada dele. Mandei várias mensagens, e ele não respondeu a nenhuma delas. Também não queria parecer a ex-namorada desesperada tentando rastreá-lo, então fui diminuindo as mensagens até parar recentemente, mas ainda fico furiosa cada vez que penso que ele não me respondeu.

— Bom — Elliot continua —, você fez o que tinha que fazer dando essa declaração e tirando as pessoas do seu pé. Quem precisa desse tipo de drama?

— Exatamente. — Eu me arrasto até o pé da cama e pego uma escova de cabelo de cima da escrivaninha. Olho para as fotos presas ao espelho enquanto penteio meu cabelo embaraçado e atualmente clareado pelo sol. Tem fotos minhas com Leah Brown, Elliot e Alex; tem até uma com a Megan. Muitas estão meio encobertas por recortes de minhas fotos favoritas de revistas, inspirações para o meu portfólio, e pelo cronograma da revisão dos meus exames finais, cuidadosamente destacado e codificado por cores para eu saber exatamente o que tenho que fazer. Minha mãe e eu temos uma piada, dizemos que passo mais tempo criando o código de cores do que estudando, mas isso me ajuda a sentir que estou no controle de alguma coisa. Todas as outras coisas em minha vida parecem estar fora do meu alcance. Noah, minha carreira de fotógrafa, até meus amigos... Todo mundo está se preparando para a vida depois do ensino médio. Embora eu tenha uma excelente vantagem com o estágio com François-Pierre Nouveau, um dos melhores fotógrafos do planeta, sinto que estou parada, enquanto todo mundo à minha volta está correndo. Para onde eu vou agora?

— Acha que ele conheceu outra pessoa? — Elliot olha para mim por cima da armação dos óculos com uma expressão que conheço muito bem: a cara de "a Penny não vai gostar nada disso", com a qual ele gosta de me surpreender de vez em quando.

— Elliot! — Arremesso a escova, e ele desvia. Ela acerta a parede do fundo e cai em cima da pilha de roupa suja.

— Qual é? Ele está sozinho. Você também está. É hora de você *sair do casulo,* Pen. A vida é mais que o Brooklyn. — Elliot me dá uma daquelas piscadas exageradas, e eu reviro os olhos. Se tem alguma coisa que me deixa mais agitada que o silêncio do Noah, essa coisa é pensar nele com outra pessoa.

Sinto a necessidade de mudar de assunto e pergunto a Elliot:

— E o Alex?

Elliot levanta as mãos para o céu.

— Perfeito, como sempre.

Sorrio.

— Vocês são muito fofos, apesar de serem meio enjoativos.

— Já contei que ele saiu da loja de antiguidades? Agora está trabalhando em um restaurante. — Elliot se enche de orgulho. — Mal posso esperar para terminar o colégio e a gente ir morar junto. Já passo a maior parte da vida na casa dele, mesmo. Quando não estou aqui, é claro.

Ele sorri, mas o sorriso não alcança seus olhos. Eu me inclino e seguro a mão dele.

— Seus pais vão superar... — Faz semanas que as brigas na casa dos Wentworth são constantes. Às vezes ouvimos os gritos deles pelas paredes finas do meu quarto no sótão. Essas noites são bem desconfortáveis.

É a vez de Elliot dar de ombros.

— Na minha opinião, eles deveriam simplesmente acabar com o sofrimento. Todos nós seríamos mais felizes se os dois se separassem.

— Penny! — A voz da minha mãe ecoa da escada.

Viro o celular e olho que horas são.

— Ai, caramba. Vem, Elliot, a gente vai se atrasar! Não posso perder minha primeira aula. — Levanto da cama e começo a jogar livros dentro da mochila. Dou uma olhada na minha cara no espelho e só então percebo que penteei apenas um lado do cabelo antes de jogar a escova em Elliot. Pego um elástico de cima da mesa, junto todo o cabelo, embaraçado mesmo, e faço um coque relaxado. E vai ter que ser isso.

A capacidade de Elliot de transformar uma nuvem negra em um raio de sol sempre me surpreende, e, quando viro, ele voltou a ser a pessoa alegre e animada de sempre. Entrelaça o braço no meu, depois sorri para mim.

— Vamos apostar corrida até o croissant de chocolate?

— Fechado.

Descemos a escada pulando os degraus, rindo e batendo um no outro enquanto corremos.

— O que estão aprontando agora, seus malucos? — Minha mãe faz um *tsc* quando pulamos o último degrau da escada e pegamos da mão dela um croissant de chocolate cada um. — Não esquece, em casa às sete para o aniversário do Tom.

— Tudo bem! — respondo já passando pela porta, sabendo muito bem que vou ter chocolate em lugares que uma garota equilibrada de dezesseis anos não devia sujar. Eu jamais teria esquecido o aniversário do meu irmão mais velho, mas sei por que minha mãe me lembrou. Adquiri o hábito de ficar com Elliot em Brighton depois da aula, tirando fotos dele para o meu portfólio. Ele é o modelo perfeito para mim: muito autoconfiante, nunca tem medo de fazer uma pose no meio da rua, mesmo que tenha gente passando.

— Talvez eu deva começar um blog — ele me disse um dia. — Para poder mostrar todas essas fotos. Mesmo as que você não acha incríveis.

— Devia — eu respondi. — Seria ótimo para o seu trabalho de moda.

— Vou pensar nisso — ele falou, mas nunca levou a ideia adiante. Acho que a ideia de *ter* um blog é mais atraente para Elliot do que todo o trabalho envolvido nisso. Ele sempre revira os olhos para mim quando me vê no laptop de novo, mas também sabe que isso é indispensável para manter o blog. E, desde meu longo período de ausência no ano passado, estou mais determinada do que nunca a fazer dele um sucesso.

Lá fora, o ar gelado me faz lembrar que o outono se aproxima, embora ainda seja só setembro. Essa época do ano é minha favorita. As folhas começam a se tingir de dourado e murchar depois do verão de trabalho duro, e o sol parece brilhar muito mais claro sem a cortina de névoa característica dessa estação. Tudo parece mais radiante e mais fresco, uma lousa em branco para o novo ano escolar. Uma lousa em branco. É exatamente disso que preciso.

Chego mais perto de Elliot e enrosco o braço no dele.

— Hoje vamos ter que reduzir a sessão de fotos — aviso. — A única coisa ruim do Alex ter saído da loja é que a gente não pode mais pegar aquelas fantasias superlegais emprestadas!

Penso na minha foto favorita de Elliot: ele está vestido com roupas normais (jeans skinny, camiseta cor de vinho e cardigã de tricô por cima) e um chapéu de pirata com uma pena enorme espetada, equilibrado sobre uma perna em cima de um balde de cabeça para baixo que encontramos na praia de pedras. Parece um rei pirata de Brighton. Mas com uma noção de moda *muito* boa.

— De volta ao guarda-roupa da sua mãe! — Elliot diz com um suspiro dramático. Eu dou risada. É verdade: minha mãe tem uma tonelada de acessórios esquisitos e maravilhosos do tempo em que fazia teatro.

Eu o deixo no ponto de ônibus, e ele me dá dois beijos exagerados nas bochechas, algo que aprendeu em Paris e aperfeiçoou durante o estágio na CHIC.

— Vejo você mais tarde, *querrida* — ele diz, depois baixa a voz. — E não se preocupe muito com o Noah. Promete?

Fico vermelha.

— Prometo.

A caminhada do ponto de ônibus até o colégio é curta, mas sinto falta da companhia de Elliot assim que ele vai embora. Sua ausência me causa uma dor, como se eu tivesse perdido um braço ou uma perna. Estou perdendo um Elliot, e isso dói. Não sei o que vou fazer se ele e Alex forem morar em Londres no próximo ano. Pensar nisso faz o croissant de chocolate se revoltar dentro de mim, e engulo para mantê-lo onde está.

Meu telefone vibra, e esqueço imediatamente a promessa e penso que pode ser Noah. Mas não é ele. É Kira, perguntando onde estou. Olho para o relógio. Só tenho cinco minutos até o começo da primeira aula, e vou fazer uma apresentação de história com Kira. Opa.

Aperto o passo, subo a escada correndo e entro na escola. Do lado de dentro, duas garotas novas do sétimo ano estão debruçadas sobre os celulares, rindo de alguma coisa no *Celeb Watch*. Imediatamente, sinto minha ansiedade crescer como uma onda em minha cabeça, pensando que posso ser o alvo da fofoca, mas desta vez não sou eu. A notícia é que Hayden do The Sketch terminou com a namorada, Kendra. Quando uma das meninas olha para mim, ela franze a testa, mas não vejo nenhum sinal de reconhecimento nesse olhar. É só porque pareço meio maluca olhando para elas. Passo depressa, com o coração batendo forte dentro do peito. As pessoas nem olham mais para mim.

Suspiro aliviada e deixo a ansiedade ir embora. Noah e eu somos notícia velha, oficialmente. Sou só uma garota comum, vivendo uma vida comum em um colégio comum. Era o que eu queria desde o fim da turnê.

Não era?

— PENNY! Meu Deus, finalmente. — Kira corre em minha direção, interrompendo minha linha de raciocínio antes que ela vá longe demais. Ela começa a revisar nossa apresentação, e eu me deixo levar pelos corredores da escola e de volta à normalidade.

2

— Espera, só mais uma.

— Penny, são cinco para as sete...

— Eu sei, mas a luz é perfeita... — Tiro uma última foto de Elliot recortado contra o céu do anoitecer. Desta vez não estamos na praia, mas no Blakers Park, que fica na frente de casa e perto de uma fileira de casas coloridas muito fofas. Morar nas colinas significa que sempre temos uma ótima vista do parque, com o mar atrás dele, dos nossos quartos vizinhos no sótão. Tem uma torre de relógio no parque, e Elliot e eu passamos muitas tardes ensolaradas sentados embaixo dela, lendo e tirando fotos. Elliot está experimentando formas exageradas com o corpo, pulando com pernas e braços abertos para formar estrelas e criando pontes com mãos e pés no chão, as costas arqueadas e a barriga para cima. Estou deitada de bruços na grama, fotografando de um ângulo baixo. Se você não soubesse que aquele era Elliot, talvez nem o reconhecesse nessas fotos. Consigo pegar o sol poente embaixo do arco de suas costas, raios de luz desfocando todos os detalhes, mas isso o torna etéreo, como se a luz explodisse de dentro dele.

— Pronto, acabei — aviso ao abaixar a câmera. Sento e olho meu celular. Não tem nenhuma mensagem preocupada da minha mãe, então deduzo que Tom deve ter se atrasado.

— Deixa eu ver — diz Elliot, abandonando a pose da ponte para sentar na grama. Eu me inclino e mostro as fotos para ele. — Penny, ficaram incríveis! As melhores que você já fez. Essas têm que ir para a galeria.

— Ah, elas vão ser a obra principal! Vou chamar de *Elliot e a ponte do sol*.

— Talvez tenha que melhorar um pouco os títulos, P.

— Tem razão.

A fantasia de Elliot para mim é que um dia vou ter uma galeria gigantesca e uma exposição solo, não como quando minhas fotos são exibidas com as dos outros alunos da nossa turma no colégio. A visão que ele tem da minha galeria é sempre em um lugar grandioso, como Londres ou Nova York, ou até em um lugar distante, como Xangai ou Sydney. Seus sonhos gigantescos para mim sempre me fazem sorrir, mas também provocam minha ansiedade. No fim do meu estágio incrível com François-Pierre Nouveau, ele me disse que eu poderia expor algumas fotos em sua galeria, *se* algum dia elas correspondessem aos seus elevados padrões. Mandei algumas fotos que fiz do Elliot para Melissa, gerente do escritório de Nouveau, com quem estabeleci um bom relacionamento. Ela me disse que as fotos eram boas, mas faltava alguma coisa nelas.

— Não vejo nada de *você* nessas fotos — Melissa me explicou. — Está quase lá. Tente descobrir o que desperta sua paixão, um assunto que realmente ame, e aí você vai conseguir. Suas fotos precisam ter uma voz. Alguma coisa... unicamente *Penny*.

Não quero desapontá-la, por isso meu objetivo é treinar, treinar e treinar até conseguir encontrar o que é "unicamente Penny". Porque meus sonhos para mim são tão grandes quanto os de Elliot. Quero tirar fotos pelo resto da vida. Nunca me senti mais determinada que agora a fazer isso acontecer.

Pelo canto do olho, vejo alguma coisa que atrai minha atenção e levanto a cabeça de repente.

— Noah? — sussurro antes de conseguir me conter.

— O quê? Onde? — Elliot segue a direção do meu olhar, mas não tem ninguém lá. Quem quer que fosse, desapareceu colina abaixo.

— Eu podia jurar... — Mas o que eu vi? Uma touca sobre cabelos escuros e compridos. Um jeito conhecido de andar. Podia ser qualquer pessoa. — Esquece — falo depressa.

Elliot não se deixa enganar.

— Tudo bem, Penny. Também queria que ele estivesse aqui. Mas quem está por perto é o Tom. Vamos voltar?

— Com certeza. — Sei que estou sendo boba. Noah deve estar em Nova York, talvez LA, qualquer lugar que não seja Brighton. Só queria saber alguma coisa sobre onde ele está ou o que está fazendo. Pelo menos assim eu não estaria pirando.

— Vem, lesma! — Elliot grita para mim. Fiquei para trás na subida da colina para casa. Esse é o problema com Brighton, quase tudo tem grandes colinas, e nós moramos na metade da subida de uma das maiores.

— Ouvi dizer que meu pai vai fazer sua famosa lasanha hoje à noite — comento quando o alcanço.

Elliot geme.

— Ai, meu Deus, o que ele vai pôr desta vez?

— Nem imagino. Lembra quando ele pôs abacaxi em uma das camadas para dar um toque havaiano?

— Eu gostei dessa! Estava pensando em quando ele soube que no México as pessoas usam chocolate no molho e decidiu derreter uma barra de chocolate ao leite no bolonhesa!

— Aquilo ficou nojento — reconheço. — Talvez eu deva dizer para ele se limitar ao café da manhã.

— Não, você sabe que eu adoro as experiências do seu pai, mesmo que elas nem sempre deem certo. Quer dizer, quem podia imaginar que colocar crisp salgado na última camada deixaria a lasanha tão deliciosa e crocante? Ele devia patentear a receita. Sai da frente, Jamie Oliver!

Toda essa conversa sobre comida fez o tempo passar depressa, e logo estávamos na frente da minha casa. Elliot nem olha para a porta da casa dele, simplesmente me segue para dentro da minha. Um cheiro intenso de ervas e carne grelhada nos recebe quando entramos.

— Que cheiro bom! — Elliot fala atrás de mim.

Meu pai aparece no corredor com um chapéu de cozinheiro meio torto.

— Hoje vamos ter lasanha à moda grega! Feta! Orégano! Cordeiro! Berinjela!

— É moussaka, então?

— Ah, não. — Meu pai balança a espátula para mim. — Vai ser lasanha. E espere só para ver o que tem na cobertura...

— Por favor, por favor, por favor, azeitonas não! — Torço o nariz.

— Melhor ainda... anchovas!

Elliot e eu gememos.

— Oi, gente feliz!

— Tom! — Viro e grito quando meu irmão abre a porta e entra acompanhado da namorada de muito tempo, Melanie. — Feliz aniversário!

— Obrigado, Pen-Pen! — Ele me abraça e despenteia meu cabelo.

— Ei! Para com isso! — Empurro Tom para longe. Passo por ele e vou abraçar Melanie. — Oi, Mel, e aí?

— Tudo bem, Penny. Estou louca para experimentar o que seu pai está preparando.

Dou risada.

— Vai ser interessante, como sempre!

As horas seguintes são um misto de comida e risadas, e me envolvem como um cobertor confortável, como o velho cardigã da minha mãe, que levo comigo sempre que tenho que embarcar em um avião. A lasanha grega ficou perfeita (embora eu tenha tirado o peixe gosmento e dado para o Tom), e agora todos relaxam sentados em volta da mesa: minha mãe conversa com Melanie sobre o próximo casamento que vai fazer (uma cerimônia com o tema *Cabaré*, no Soho), Tom e Elliot riem de uma piada do meu pai.

Tenho uma ideia. Levanto e vou até o corredor pegar minha câmera na mochila.

Quando volto, aponto a lente para minha família e capturo sorrisos e risadas. Isso é algo "unicamente Penny". É todo mundo que eu amo reunido na mesma sala.

Olho para a foto. Bom... *quase* todo mundo.

17 de setembro

Vendo Fantasmas

Muito obrigada a todos pelo apoio no último post. Peço desculpas por ter fechado os comentários, a coisa estava escapando do controle. Mas talvez a gente possa resolver isso juntos, não é? Vocês sempre dão os melhores conselhos.

Para mim, neste momento, o mais difícil é lidar com os fantasmas. Não falo de fantasmas de verdade (espero que não, pelo menos), mas das sombras, das memórias gravadas, da pessoa desaparecida que ficou em vários lugares da minha vida diária, pronta para pular em cima de mim a qualquer momento e fazer meu coração parar de novo.

Cada vez que viro em uma esquina, encontro outra lembrança. Mesmo tendo certeza de que ele deve estar longe de onde estou, continuo achando que o vi entre as pessoas, bem na minha frente. Uma vez até segui um garoto na rua, coitado, e, quando o menino virou, não era ele, é claro. Era só alguém com cabelo escuro.

Será que estou ficando maluca? Sabe aquela coisa que dizem que a gente sente um arrepio quando a morte passa por perto? É a mesma sensação que eu tenho, um arrepio frio, que me dá medo e sempre me faz sentir um pouco patética. O que eu posso fazer para afastar os fantasmas e me sentir normal de novo?

Garota Online, saindo do ar xxx

3

Depois da publicação do post no blog há três dias, três conselhos se destacaram entre todos os comentários:

1. Cerque-se de amigos e da família — Feito.
2. Distraia-se: saia e faça coisas mais empolgantes, até as lembranças dele começarem a desaparecer — Isso é algo que talvez eu possa fazer.
3. Siga em frente — Sim, esse é o principal conselho do Elliot também. Mas duvido que aconteça.

Então, decidi tentar o método número dois. E, para me distrair, eu aceito um convite que chegou por mensagem de texto há duas semanas. Megan me convidou para ir visitá-la em Londres na Escola de Artes Madame Laplage, onde ela cursa o sexto período. É um lugar de muito prestígio, e sinto bastante orgulho dela por ter conseguido entrar lá. Foi muito importante terem citado minha amiga no jornal local com a manchete: "COLEGIAL CONQUISTA UMA VAGA NA ACADEMIA DAS ESTRELAS". Muitos atores e atrizes famosos se formaram lá (como Megan nunca deixa de lembrar, diz Elliot), mas a escola não é famosa apenas pelo teatro. Também tem músicos, dançarinos, artistas, talvez até alguns fotógrafos. E ela tem que morar no campus, o que, de certa forma, é como se já tivesse ido embora para a universidade. Apesar do seu jeito maluco e às vezes arrogante, sinto saudade dela.

"VEM ME VISITAR", gritou uma de suas mensagens mais recentes. "Você vai adorar."

Elliot havia revirado os olhos para isso.

— Ela provavelmente só quer alguém com quem possa se exibir com seu "papel de protagonista" em *Les Mis* ou outra peça que esteja fazendo.

— *West Side Story* — eu o corrigi. Megan havia postado mais cedo no Facebook sobre como faria o papel de Maria no primeiro grande espetáculo da escola naquele ano no Halloween.

"Os ensaios são puxados", ela escreveu para mim, "mas, se vier em um sábado depois das onze, dá para relaxar na sala comunitária e apresentar você para todo mundo".

Tudo bem, eu vou.

Elliot desaprovou estalando a língua, mas vi que ele estava feliz por eu ter decidido sair e fazer alguma coisa diferente e fora da minha zona de conforto.

Oba! Te vejo no sábado!

Agora é sábado, e é um daqueles dias claros e lindos de setembro que fazem Londres brilhar como se alguém tivesse lavado todos os prédios. Quando saio do vagão, não consigo deixar de pensar em como progredi nos últimos meses. Eu nunca teria embarcado em um trem para ir a Londres sozinha antes desse verão, muito menos em uma jornada de trem e metrô, mas agora tenho no bolso da calça as pequenas estratégias que me ajudam a controlar a ansiedade. Não completamente, sei que isso é algo que vai ficar comigo de algum jeito pelo resto da vida, algo que pode mostrar sua cara feia a qualquer momento. Mas enquanto eu controlar, desafiar e aceitar minha ansiedade, não o contrário, sei que vai ficar tudo bem.

A Escola Madame Laplage fica à margem do rio Tâmisa, e Megan me encontra na estação do metrô para podermos caminhar juntas.

— Penny! — Ela acena para mim da frente do Starbucks e segura um café na outra mão. Nunca soube que ela bebia outra coisa além de milk shake ou Coca, mas essa é a nova Megan "adulta". — Espero que não se importe, peguei uma bebida para mim — ela diz. — Você não gosta de café, gosta?

Balanço a cabeça.

— Não quero nada.

— Ótimo. — Ela entrelaça o braço no meu e me leva pela ponte ao lado da estação. Vejo a Catedral de São Paulo quando o rio faz uma curva, e paro para tirar uma foto. Megan se coloca na cena e se pendura na grade.

— Espera, tira uma foto minha na frente do Teatro Nacional — ela diz, apontando para o grande prédio de concreto que fica perto da escola. — Talvez um dia, quando eu tiver o papel principal em uma peça superfamosa nesse teatro, você possa vender essa foto por alguns milhões. — Ela ri de um jeito que me deixa meio envergonhada, e eu tiro a foto. — Deixa eu ver.

Viro a câmera para mostrar a foto na telinha. Ela grita.

— Ai, meu Deus, ficou incrível, Penny! Acho que seria uma ótima ideia você fazer minhas fotos de divulgação.

Sorrio de volta, mas alguma coisa está estranha. A Megan não é normalmente tão empolgada e efervescente. Eu diria que é o café, mas não acredito que isso explique tudo.

— Como vão as coisas na escola? — pergunto depois de atravessarmos a ponte.

— Ah, a escola é *incrível*. Sabia que um casal de Hollywood superconhecido vai mandar os filhos para estudar aqui? O boato saiu no *Celeb Watch* e por enquanto tudo é meio sigiloso, mas a Madame Laplage é o *único* lugar que prepara adequadamente os atores de teatro clássico. E os professores são incríveis. Sabia que eles têm até um especialista em monólogo? Precisa ver os dançarinos... nunca vi tantos gatos reunidos num lugar só. — Ela pisca para mim.

Megan continua andando e tagarelando sem parar, e percebo que ela ainda não respondeu à minha pergunta. Já sei tudo sobre a escola. Só não sei como vão as coisas em relação a *ela*.

* * *

A Madame Laplage fica em um enorme e antigo prédio geminado em estilo eduardiano, do tipo que já foi, provavelmente, dividido em várias casinhas altas e estreitas em outros tempos. Mas muitas paredes foram abertas e agora são pintadas com brilhantes e arrojados murais dos alunos de artes. Olho pela vidraça de uma porta e vejo o chão de madeira polida e as paredes espelhadas de um estúdio de dança.

Megan continua falando um milhão de palavras por minuto enquanto subimos uma escada. Paramos no terceiro andar, diante de uma porta com uma placa onde se lê: SALA COMUNITÁRIA DE ARTES CÊNICAS.

— Não surta, Penny, mas algumas garotas aqui sabem sobre você e o Noah e são todas megainvejosas, tudo bem? Não se preocupa, vou dar um jeito para elas ficarem na delas, mas, tipo, não faz disso algo mais importante do que tem que ser.

— Ah... não vou fazer — falo com a testa franzida. — Pode acreditar, a última coisa que quero falar é do Noah.

— Bom. Muito bem... — Ela respira fundo, como se estivesse se preparando. Depois abre a porta.

A primeira coisa de que me lembro ao ver a sala comunitária são as salas de espera em que estive nos bastidores de alguns shows. Tem muito mais coisa acontecendo aqui do que na nossa sala comunitária no colégio. A energia é a mesma, aquele clima relaxado; garotos reclinados em sofás velhos, garotas à vontade com as pernas sobre o braço das poltronas. Um dos caras tem até um violão, que está tocando em um canto. E todo mundo é muito atraente. Fico pensando se não entrei por acaso na sala do elenco de *Glee*.

Na verdade, é quase exatamente como Megan descreveu. Vou ter que contar ao Elliot que ela não estava exagerando. É realmente tão criativo, maluco e livre como ela fez parecer que era.

Megan espera até eu olhar tudo e então segura minha mão. Andamos em direção a um grupo de garotas reunidas em torno de uma mesa, recitando falas umas para as outras. Leva um momento para elas perceberem que estamos ali. Confusa, olho para Megan, sem entender por que ela não diz "oi", mas ela está focada em uma das meninas.

— Ah, oi, Megan — diz uma ruiva alta com um rabo de cavalo bem preso. Ela mal levanta os olhos para minha amiga, e seus lábios se contraem numa linha fina.

— Oi, Salena — Megan responde. Sua voz é tão aguda que é quase um guincho. Nunca a vi desse jeito antes. — Esta é a amiga de quem falei. Penny Porter.

Salena olha para mim e sorri. O sorriso transforma seu rosto, que adquire um ar animado e afetuoso.

— Penny! — ela diz. Depois estica os braços para trás e puxa uma cadeira, que coloca ao lado da dela. — Quer sentar?

— Ah, eu... — Olho para Megan, que me empurra para a cadeira. — Acho que sim! — falo com uma risada desajeitada. Megan corre pela sala para ir buscar a última cadeira livre e a arrasta para perto da mesa.

Os olhos de Salena estão cravados em mim.

— Essas são Lisa e Kayla. Elas estão no primeiro ano de teatro, assim como eu.

— Como a Megan! — respondo animada.

Ela assente.

— Bem, em primeiro lugar, tenho que dizer que *amo* seu blog.

Fico vermelha e sinto o rosto quente. Ainda não me acostumei com a ideia de que tem gente de verdade lendo meu blog, embora os números na estatística da página mostrem que isso deve ser real.

— Obrigada... Eu escrevo há algum tempo.

— Eu sei! Você é muito autêntica!

Ao meu lado, Megan assente, empolgada, para tudo que Salena diz.

— E é claro que ficamos arrasadas com... você sabe — Kayla comenta do outro lado da mesa. Seus olhos são enormes e redondos, e o cabelo é curto.

— Obrigada — repito, sem saber o que acrescentar. — Estão animadas com *West Side Story*? — pergunto, tentando mudar de assunto. — A Megan é uma cantora incrível. Ela já contou sobre a produção de *Romeu e Julieta* no colégio?

Salena abre a boca, mas Megan levanta de repente.

— Bom, vou levar a Penny para conhecer a escola. Até mais tarde, meninas.

Aceno para elas.

— Foi bom conhecer vocês. Tchau.

— Adorei te conhecer também, Penny. Fica à vontade para voltar quando quiser. Seria ótimo ouvir suas dicas sobre o meu blog.

— Ah, é claro. Ai! — Megan puxa meu braço para me tirar da cadeira, e eu bato o joelho na mesa. Então me arrasta para o centro da sala.
— Ei, qual é? — pergunto.

— Não queria mais conversar com aquelas garotas. Elas são meio chatas. Eu disse que eram. Sempre falando sobre o Noah e o blog.

— Elas não fizeram nada...

— Enfim, tem muita gente que quero que conheça, e também quero que veja outras partes da escola. Você *precisa* ver o nosso palco principal, os camarins e o meu quarto.

Estávamos saindo quando alguém bate no meu ombro e eu me assusto. Viro e vejo um cara lindo olhando para mim. Imediatamente penso que ele está atrás de Megan, mas, quando dou um passo para o lado, ele me faz parar com um toque.

— Desculpa, mas... você não é a Penny Porter?

4

Olho atordoada para a visão de um metro e oitenta à minha frente, para os olhos brilhantes e amendoados, o cabelo loiro e ligeiramente ondulado jogado de lado. Ele sorri para mim exibindo dentes cintilantes, me esperando responder, mas, quando seu sorriso começa a sumir, percebo que o estou encarando, boquiaberta. Mais especificamente encarando a regata folgada que ele veste, que mostra mais peitorais que a maioria das roupas.

— Que camisetal — resmungo, porque meu cérebro não registra a pergunta que ele acabou de fazer e eu solto um comentário aleatório que acho que devia ser: "Que camiseta legal". A essa altura, minha mente grita comigo. *Pronuncie palavras, Penny,* PALAVRAS DE UMA PESSOA ADULTA. — Quer dizer, você não está com frio?

— Não. E você está falando como a minha avó. — Ele ri e estende a mão para mim. Tem um sotaque escocês casual tão lindo que quase preciso de uma sacudida para voltar à realidade. — Meu nome é Callum. Legal te conhecer. É Penny, certo?

Aperto a mão dele e percebo que é macia, com unhas bem-feitas.

Finalmente, consigo dar um sorriso natural.

— Sim, Penny, isso mesmo! A gente já se conhece? — Franzo a testa, revirando a memória para tentar lembrar se já o encontrei antes. Tenho certeza de que lembraria de alguém que parece ter sido esculpido por anjos das montanhas escocesas.

— Não, a gente não se conhece, mas eu conheço você. Bom... suas fotografias. Você fez o estágio dos meus sonhos na FPN, e eu tive que olhar seu trabalho para ver quem me superou na disputa pela vaga. Fiquei impressionado.

O elogio me provoca um inevitável rubor. Ele me conhece pelas fotos? Não pensei que isso fosse possível.

— O que você faz aqui? — ele continua. — Está estudando? Acho que não vi você em nenhum dos nossos seminários.

Megan está ficando irritada e mexe os pés. Uma conversa entre mim e Callum não é o que ela planejou para essa visita, evidentemente.

— Não, a Penny não estuda aqui. Mas eu estudo. Muito prazer, Megan. — Ela se coloca entre nós e estende a mão para Callum, jogando o cabelo castanho e brilhante. Ele aperta a mão dela e sorri educadamente. Antes que eu possa responder à pergunta de Callum, Megan continua: — Estou mostrando a escola para ela. Espero que a Penny venha me visitar muitas vezes enquanto eu estiver estudando aqui. Quando eu não estiver muito ocupada ensaiando, é claro.

— É claro! — Sorrio para Megan, mas meus olhos são atraídos de volta pelos de Callum como se fossem ímãs. — Está estudando fotografia aqui, então? — comento, antes que Megan possa dizer mais alguma coisa.

— Sim, segundo ano. O lugar é legal — ele responde. Depois se apoia em um dos sofás. Por um momento, o mundo parede desaparecer, e só vejo seus olhos verdes. É como se apenas Callum e eu existíssemos presos aos olhos um do outro, e tudo acontecesse em câmera lenta. Deve ter sido apenas uma fração de segundo, porque de repente as cores retornam quando um dos alunos começa a tocar uma canção que reconheço. "Elements", do novo álbum de Noah.

É quando me dou conta. Durante o tempo (tudo bem, um minuto inteiro) que passei falando com esse cara, não pensei em Noah. Parece que existe uma eletricidade no ar, um sentimento que eu não esperava experimentar outra vez desde que rompi com Noah. Também percebo que ele tem uma câmera pendurada no ombro pelo que parece ser uma alça personalizada com adesivos e inscrições no couro. Ele sorri ao ver que estou analisando seu equipamento.

— Bela câmera, não acha? É vintage. — Ele a puxa para a frente para eu ver melhor. Balbucio alguns sons de aprovação.

— Você deve saber o que faz! — falo.

— Adoro fotografia, mas só os melhores trabalham com o François-Pierre Nouveau, certo? — Ele cutuca meu braço de leve e sinto o rosto esquentar. Ele está dando risada, e eu também rio, nervosa. Por que Callum, senhor fofo, me faz sentir desse jeito? É como se eu voltasse a ter treze anos. Balanço a cabeça em pensamento para me livrar da sensação e tento agir de um jeito um pouco mais legal. Também sinto o dedão do pé da Megan pressionar o meu com firmeza, e sei que é hora de ir.

— Bom, foi legal te conhecer — digo. — A gente se vê por aí, tá? Vou falar para o François-Pierre que você mandou um "oi". — Viro e começo a me afastar, puxando Megan de passagem.

Callum ri e acena quando nos afastamos dele.

Ficar meio mole depois de conhecer um cara como o Callum é uma reação normal? Será que isso é um sinal de que estou começando a superar o Noah? Será que o meu coração está pronto para voltar ao assustador mundo dos garotos?

São muitos "será que", mas isso é melhor que os "nunca" de um instante atrás.

Megan me conduz por intermináveis corredores, e passamos por salas de aula de canto, arte e balé. Fico impressionada com todas as coisas a que eles têm acesso. Salas de ensaio, instrumentos musicais, estúdios, bibliotecas. Achávamos que era exibição, mas agora Megan está realmente entre os grandes.

Atravessamos o campus, e ela me leva para a área do alojamento. Não é bem o que eu esperava. É pequeno, com tetos baixos e iluminação limitada. Não serve para fotos. Megan divide o banheiro e a cozinha com mais duas alunas. Uma delas, uma bailarina, é italiana, e a outra é de San Francisco e estuda arte moderna.

Ela me leva até o quarto, que está em condições bem piores que o meu, com roupas jogadas por todos os lados e pôsteres de teatro cobrindo todas as paredes.

— As meninas que moram com você são legais? Você se dá bem com elas? — Sento na ponta da cama de solteiro, que fica colada à escrivaninha. Ela puxa a cadeira e senta ao meu lado.

— Sim. A Mariella não fala muito inglês, o que dificulta um pouco as nossas conversas. Mas ela estuda dança interpretativa, então eu acabo gesticulando e dançando o que quero dizer, e acho que funciona.

Pobre Mariella. Imagino Megan dançando, frustrada, com braços e pernas desengonçados enquanto tenta oferecer uma xícara de chá a Mariella. É difícil segurar a risada.

Megan pega o laptop e acessa o Facebook.

— A outra garota eu só vejo às vezes. Ela é muito indie, passa a maior parte do tempo em Shoreditch, e todos os amigos dela têm barba e usam coque. Ainda não sei se gosto dessa coisa de homem de coque. O que eles escondem ali?

— Todos os segredos deles? — Olho para a tela do laptop. Ela está apontando o mouse para as mensagens, embora não haja nenhuma notificação recente do chat. Estranho. Normalmente, Megan conversa em todos os aparelhos que tem. Ela percebe que estou espiando e fecha o laptop.

— Sabe de uma coisa? Vamos voltar à sala comunitária e comer alguma coisa. Não tem muito o que fazer aqui. É bem parado. — Ela pega a bolsa, a pendura no ombro, bagunça o cabelo e passa mais batom.

— Tudo bem — respondo. Estou surpresa com o frio na barriga provocado por um único pensamento: *Talvez o Callum ainda esteja lá.*

* * *

A sala comunitária está agitada, mas não vejo nenhum gato escocês por lá. Gente jovem e bonita circula em torno de uma mesa de futebol de botão, todos estranhamente bons em um hobby popular, e dois grupos cantam canções como em uma cena de *A escolha perfeita*. Dizer que estou fora da minha zona de conforto não é exagero, e de repente o sofá em que estou sentada parece me sugar para dentro das almofadas.

Penso se é tarde demais para sair daqui.

Mas, neste momento, Callum entra na sala com um amigo. O amigo também é alto e sexy, com cabelos escuros e encaracolados, mas não tem o mesmo poder de atração que Callum. Pelo menos não para mim. Eu me sento um pouco mais ereta enquanto ele se joga no sofá ao meu lado, e o amigo se senta à nossa frente, ao lado de Megan.

— Não pensei que veria você de novo tão cedo. — Ele transfere a bolsa que levava pendurada no ombro para a mesinha diante de nós e relaxa no sofá. Caramba, que sotaque incrível. Quero pegar o celular e gravar para mostrar ao Elliot, porque sei que ele ficaria tão maluco quanto eu.

Sorrio.

— A Megan achou que a gente devia aproveitar ao máximo a cantina antes de eu voltar para casa. Ouvi dizer que o queijo quente com Marmite é imbatível. — Levanto meu sanduíche, depois percebo que sacudir um queijo quente mordido na cara de alguém não deve ser um comportamento adequado. Ele torce os lábios tentando não gargalhar, e eu tento amenizar o desconforto enfiando o restante do sanduíche na boca.

Infelizmente, isso só serve para me deixar com enormes bochechas de esquilo, e sou obrigada a comer o queijo quente de boca fechada, para ele não ver o grande bolo que se formou lá dentro de pão e queijo com Marmite. Muito atraente.

Fico agradecida por ele se virar por um momento, me deixando recuperar a dignidade. Mastigo tão rápido quanto posso, engulo e consigo acalmar parte do rubor em meu rosto antes de ele olhar de novo para mim. Vejo em seu colo um portfólio de fotografias e uma pasta A4 de fotos em preto e branco que parecem ter sido reveladas há pouco em uma sala escura. Tenho a impressão de que posso até sentir o cheiro do produto químico usado na revelação.

O barulho na sala fica um pouco mais alto quando Callum olha nos meus olhos. Respiro fundo. *Não deixa a ansiedade estragar tudo. Por favor.*

— Desculpe, você se incomoda? — Callum pergunta, confundindo minha ansiedade crescente com irritação. — Temos um megaprojeto que já devia ter sido entregue, e quero que fique perfeito.

— Não, por favor, fique à vontade — respondo, contente com a distração. Ela serve para desviar a atenção de Callum de mim por um momento, e consigo me recuperar.

Olho para as fotografias que ele mantém sobre as pernas. São retratos, e são tão intensos que sinto um arrepio. Nunca vi detalhes como os dessas fotos.

— O que você achou? — ele pergunta. — Ainda não tenho certeza se estão boas mesmo.

— Algumas delas fariam você ter pesadelos — comento com um sorriso. Ele fica vermelho.

— Sei que são um pouco góticas, mas o objetivo é uma exposição de Halloween. Que lentes você usa para fazer retratos? — Ele sorri, e seus dentes são tão alinhados e brancos que quase me ofuscam. Tem uma pinta sobre seu lábio superior, ao lado do arco do cupido, e eu me derreto um pouco mais com isso. Preciso me controlar para não gritar: Quem *é* esse cara e de onde ele veio? *Não pode* ser humano! NÃO PODE SER!

Foco, Penny. Fotografia. Eu consigo.

— Uso uma lente prime. Ela me dá detalhes incríveis, mas não tão gritantes quanto os das lentes macro, principalmente se eu estiver fazendo uma foto analógica. Você fotografa com filme ou digital?

— Eu fotografo dos dois jeitos. Acho que é possível obter ótimas fotos tanto de um modo como de outro. — Sua língua aparece no canto da boca quando ele umedece o dedo para virar a página. — Depende do ângulo que você quer, na verdade. Algumas das minhas fotos favoritas foram feitas com uma automática comum que eu desenvolvi na Boots. Sou a favor de capturar o momento.

— Ah, concordo totalmente. — Assinto entusiasmada, e em seguida sinto a culpa como uma fisgada no estômago. Estamos ali falando sobre fotografia, e eu estou ignorando Megan completamente. Ela vai odiar isso. Levanto a cabeça e, com um suspiro aliviado, vejo que ela está conversando com o amigo de Callum sobre uma festa no prédio 4B. A mãe dela ficaria maluca se soubesse que a filha está planejando ir a festas em dormitórios com gatos de dezessete anos, mas eu não estou surpresa.

Aplacada a culpa, volto a conversar tranquilamente com Callum.

— Como descreveria essa foto? — ele pergunta, e me entrega uma imagem em preto e branco de uma mulher idosa com a mão no rosto. Dá para ver os detalhes complexos de oito anéis de ouro em seus dedos. Os olhos parecem tristes, mas a boca está distendida, com os cantos voltados para cima. Metade do rosto está no escuro, a outra metade queima com luz.

— Acho que ela está dizendo: "Vivi intensamente e não me arrependo de nada". — Olho para a imagem poderosa, depois para Callum. Nossos olhos se encontram, e as linhas em torno dos dele retornam quando um sorriso lento se espalha pelo seu rosto.

— Senhoras e senhores, aplausos para a declaração mais brega que eu já ouvi. — Ele ri e bate palmas.

— Ei, foi você quem perguntou! — Dou de ombros e sorrio de volta.

— E essa análise superprofunda, minha querida, é o motivo pelo qual eu estou estudando aqui, e você não. — Ele pisca para mim de um jeito bem-humorado, e abro a boca me fingindo de ultrajada.

— Posso não ser boa para escrever grandes legendas, mas talento não se ensina — disparo de volta e me surpreendo com as palavras que acabo de pronunciar. Normalmente, não sou assim "inflamada" quando se trata de provocação debochada. Quem é essa nova Penny?

— *Touché*, Penny Porter — ele admite. Depois muda ligeiramente de posição e suas pernas encostam nas minhas. Estamos de calça jeans, mas o contato superficial provoca uma corrente elétrica que percorre meu corpo. Não sei se ele sente a mesma coisa, mas vejo o rosado que tinge suas bochechas enquanto ele continua olhando para a fotografia. Talvez não seja só eu...

Uma onda de ansiedade segue a corrente elétrica como um tsunami. Não consigo nem respirar, tamanha a velocidade com que ela me inunda. Tudo que era divertido e empolgante se torna assustador. Ouço cada movimento da bola de futebol de botão. A música que os grupos cantam é alta e fere meus ouvidos. O ar agora é denso e morno, feito um pote de mel.

Meus olhos procuram desesperadamente uma rota de escape, e, quando vejo uma porta, pego minha bolsa e corro. Não penso em Callum, no amigo dele ou em Megan. Apenas corro, viro em esquinas, passo pelas portas de emergência até estar do lado de fora, enchendo os pulmões de ar fresco.

Dois segundos mais tarde, Megan está do meu lado, com o braço em torno das minhas costas. Ela já viu isso antes, e, apesar de todos os seus defeitos, eu me sinto grata por ela nunca ter dado muita importância. Megan só fica ali comigo.

Quando minha respiração se acalma e volta ao normal, ela se arrisca a fazer uma pergunta.

— O que aconteceu? O Callum te disse alguma coisa? — Sua testa está franzida.

— Não, nada. Acho que... não sei. Acho que tudo ficou um pouco demais. Eu vou ficar bem. — Forço um sorriso, e Megan afaga minha mão.

— Não tem nada de errado em se interessar por alguém, sabia? — ela fala baixinho.

Meu coração dá um pulo quando Megan consegue expressar com palavras o motivo da minha ansiedade. Porque, no fundo, outra voz está me dizendo: *Não tenho tanta certeza assim.*

5

Megan está apoiada na parede lateral do prédio, digitando na tela do celular, enquanto eu, sentada em cima de uma mureta, me concentro em respirar. Quando me sinto um pouco mais calma, levanto os olhos e vejo pessoas indo e vindo, atentas a seus compromissos. *O que elas vão fazer agora?* Acompanho os grupos com o olhar. Escolho algumas pessoas. *Aonde esse aí vai, com essa mochila gigante? Será que está viajando pelo mundo? E aquele casal de mãos dadas? Será que estão saindo pela primeira vez? Ou pela terceira?*

Direcionar meu foco para as coisas em volta, me concentrando no que pode estar acontecendo na vida de outras pessoas, é algo que minha terapeuta sugeriu que eu faça quando estiver administrando uma crise de ansiedade. Só comecei a terapia depois que voltei da turnê, e ela já me ajudou a construir minha autoconfiança. Agora consigo entender que, embora a ansiedade faça parte da minha vida, ela não tem que me definir. Pequenos truques, como observar pessoas, me impedem de prestar muita atenção nos pensamentos que crescem e nos sintomas físicos que dominam meu corpo sempre que começo a entrar em pânico. Já sinto o coração batendo mais devagar e o suor nas mãos evaporando.

Olho para trás.

— Megan, acho que agora vou ficar bem. Se não se importa, só preciso de alguns minutos sozinha para clarear as ideias antes de voltar lá para dentro. — Percebo que a peguei de surpresa. Ela está rindo de um vídeo, um viral de um cachorrinho escorregando no gelo, mas desliga o celular e assente:

— É claro, Penny. Vou ficar na sala comunitária. Acha que consegue chegar lá?

— Sim — respondo.

— Legal. Te vejo daqui a pouco. — Ela entra no prédio, e eu fico sentada na mureta.

Continuo olhando o cenário à minha frente e noto uma menina sentada em um banco do outro lado, terminando uma ligação e limpando uma lágrima de um jeito furioso. Com quem ela acabou de discutir? Um dos pais? Um amigo? O namorado? São detalhes como esse que me fazem lembrar que todo mundo tem suas "coisas" — dificuldades com que lutam ou têm que lidar regularmente.

Para meu espanto, a lágrima da menina se transforma em choro descontrolado, e ela soluça, cobrindo o rosto com as mãos. Tem uma mochila velha entre os sapatos pretos dela na grama, ao lado do banco, e o cabelo preto e brilhante está preso em dois coques bem-arrumados, um de cada lado da cabeça. De repente ela levanta o rosto e faz contato visual comigo. Quase caio da mureta. Agora ela sabe que estou sentada observando o que ela faz.

Um nó desconfortável se forma em minha garganta. Ela desvia os olhos de novo e limpa as lágrimas, obviamente consciente de que eu ainda a observo. Vejo um aplique da Madame Laplage em sua mochila e percebo que ela deve ser aluna ali. Escorrego da mureta. Não posso simplesmente ignorá-la, agora que ela sabe que eu a observava. Tem uma pequena possibilidade de ela me dizer para sumir e gritar comigo por ser invasiva, mas é um risco que estou disposta a correr. Se ela precisa de alguém com quem conversar, às vezes uma desconhecida solidária é uma boa opção.

Ela levanta a cabeça quando escuta o cascalho rangendo embaixo dos meus Converse. Apesar de ter o rosto vermelho de tanto chorar, sua beleza me surpreende. Os olhos delicados e amendoados são castanhos, e um sorrisinho surge em seu rosto, provocando uma covinha em uma das bochechas.

Interpreto o sorriso como uma indicação promissora de que ela não se incomoda com minha aproximação.

— Desculpe se atrapalho, mas você está bem?

Sento no banco ao lado dela. A menina está tremendo um pouco, e penso em uma delicada borboleta. Ela pode voar a qualquer momento.

— Estou tão envergonhada! — diz e limpa o nariz com o lenço de papel que carrega amassado na mão. — Odeio chorar em público. *Principalmente* na escola. Tenho certeza que agora todo mundo vai saber.

— Quer ir andar um pouco? Sair daqui?

Ela assente.

Andamos em silêncio para longe da escola, de volta à margem sul. Acho que a água sempre tem alguma coisa que acalma. Prefiro a visão do mar da praia de Brighton, mas até o rio Tâmisa serve neste momento. A garota funga alto.

— Eu... não lembro de você de nenhuma das aulas, mas, por favor, não conte isso para ninguém na escola.

— Ah, eu não estudo na Madame Laplage.

— Não?

— Não. Estou aqui visitando uma amiga. Meu nome é Penny. Desculpa ter ficado observando, mas você parecia muito mal. Discutiu com alguém?

Ela olha para mim, os olhos estudando os meus. Acho que passei no teste, porque ela assente de novo, lentamente.

— O meu é Posey — responde. — Posey Chang. E sim, discuti... Dá para dizer que foi uma discussão! Minha mãe é minha melhor amiga, mas ela nem imagina a pressão que é aqui. Ela não entende. Eu estava tentando explicar para ela que eu não quis um determinado papel na peça porque não suporto a ideia de ser o centro das atenções. — Posey assoa o nariz ruidosamente e joga o lenço de papel em uma lata de lixo. Quando fala de novo, sua voz é tão baixa que tenho de me esforçar para ouvi-la em meio ao canto dos pássaros e à voz dos turistas atrás de nós. — Sei que devia ser uma honra ser escolhida para o papel. Estou aqui estudando teatro e música, e isso é algo que sempre adorei fazer, mas tenho dificuldade de me apresentar para uma plateia, e ninguém entende! Minha mãe falou que eu estava sendo ridícula, que tenho que me controlar e que eu não ia recusar o papel de jeito nenhum. Odiei ouvir tudo isso, mas ela está certa. Se eu não fizer isso, minha bolsa de estudos pode ser cancelada. Então, todo o meu esforço para chegar até aqui terá sido em vão. — Ela funga de novo, e uma lágrima corre por seu rosto.

— Que papel é o seu? Minha amiga Megan também está na produção. É *West Side Story*, não é?

— Sim, isso mesmo! Vou fazer Maria, a PROTAGONISTA. — Um leve tremor sacode seus ombros. — Todos tiveram que participar da audição, e eu esperava ficar com um papel pequeno, porque ajuda muito nas notas, mas não pensei que ficaria com o papel principal. Agora estou desesperada para trocar por outro, menos assustador. — Ela rói as unhas já inexistentes.

— Você deve ser muito boa para ter conseguido o papel principal — respondo, tentando esconder a confusão. A versão dela não bate com o que ouvi de Megan, mas não quero contradizê-la quando ainda está tão nervosa. — Mas entendo muito bem esse medo. — O mais próximo que cheguei de pânico do palco foi quando a escola inteira viu a minha calcinha, mas sei que não é a mesma coisa. Eu senti medo em cima do palco. Tive medo dos comentários, do horror e da vergonha de lembrar que eu estava com a minha pior calcinha, a mais velha de todas. O medo de palco de Posey parece ser muito mais profundo. Saber que você tem um dever a cumprir, mas ter pavor justamente do tablado que deveria amar.
— O motivo que me fez sair do prédio — conto — é que sofro de terríveis ataques de pânico e ansiedade.

— Sério? E o que você faz para melhorar? — Seus olhos castanhos se arregalam.

— Bom, quando eu tenho uma crise de ansiedade e estou viajando, uso um cardigã velho da minha mãe. Funciona como um cobertorzinho de segurança. Mas acho que você não pode levar um cobertorzinho para o palco, não é?

Para meu alívio, ela solta uma risadinha.

— Não, não ia dar certo, a menos que a peça fosse *Les Misérables* e eu pudesse incluir o paninho no figurino.

Para minha surpresa, ela fecha os olhos e começa a cantar os primeiros versos de "On My Own" de *Les Misérables*, e sua voz se projeta sobre a água. Ela executa cada nota perfeitamente, mas tem um tremor delicado em sua voz que transmite a emoção da canção diretamente ao meu coração. Sinto lágrimas brotando em meus olhos.

A interpretação cresce até ela chegar a uma nota muito alta, quase sem parar para respirar. Mal consigo acreditar que uma voz tão poderosa pode sair de um corpo tão pequeno. Quando ela termina, e a última nota paira no ar, eu aplaudo. Mas não sou a única. Atrás de nós, uma pequena plateia se formou, e as pessoas aplaudem loucamente.

Ela se vira para trás com o rosto muito vermelho, depois se curva suavemente e sorri para o grupo. Aos poucos, as pessoas se afastam e ficamos sozinhas de novo.

— Posey, isso foi incrível! Sei que não está feliz com essa história, mas entendo por que escalaram você para o papel principal.

O sorriso desaparece.

— Obrigada, Penny. Eu adorava cantar para as pessoas quando era só eu, um microfone e um piano. Assim, se eu errasse, só eu sofria as consequências. Mas, se eu errar nesse espetáculo, não vou afetar só a mim. Tem todos os alunos de música da orquestra, os alunos de dança no coro, os alunos de técnicas de arte cuidando da iluminação e do som, sem falar dos outros atores no palco. Eu estaria prejudicando todo mundo. Por isso não posso aceitar. Vou voltar para Manchester.

— Entendo o que quer dizer — respondo. — Acho que é por isso que gosto de fotografia. Sou só eu e minha câmera.

Ela levanta a cabeça e sorri para mim.

— Obrigada por entender. É bom conversar com alguém que não pensa que tenho simplesmente que me superar e representar o papel. Você falou que veio visitar uma pessoa. É alguém do teatro?

Balanço a cabeça para dizer que sim.

— É. O nome dela é Megan.

— Megan Barker?

Balanço a cabeça de novo.

Posey morde o lábio inferior.

— Não a conheço muito bem, mas ela foi bem na audição. Ela é da sua cidade?

— Sim, de Brighton.

Os olhos de Posey brilham.

— Ah, já ouvi falar muito de Brighton e sempre quis ir para lá, mas nunca tive oportunidade.

— Fica bem longe de Manchester — comento, rindo.

— É verdade! — Posey olha para o relógio de pulso. — Eu... preciso voltar. Acho melhor acalmar a minha mãe. Ela foi dura comigo, mas também está preocupada. — Ela pega a mochila e vira para ir embora.

— Espera, só um segundo. Podemos trocar e-mails? Assim, se precisar conversar com alguém de novo...

Ela assente e tira o celular do bolso.

— Seria ótimo. — Digito meu e-mail e meu número de telefone no celular de Posey para ela ficar com o meu contato e poder me mandar uma mensagem pelo WhatsApp.

— Quando quiser, certo? — eu digo.

Posey dá um pulo para a frente e me abraça. Eu retribuo seu abraço, e voltamos juntas para a Madame Laplage.

6

Quando volto para a sala comunitária, Megan está me esperando ao lado da porta. Ela está encarando o celular, mas seus olhos brilham como estrelas. Megan não demonstra se notou que me afastei por um tempo.

— Tudo bem? — pergunto ao me aproximar.

— Está brincando? Nunca estive melhor. Aquele gato, o Luke, pediu meu número e acabou de me convidar para uma festa no apartamento dele no próximo fim de semana! — Ela vira o aparelho para me mostrar uma foto de Luke, sem camisa, com seu endereço e um horário escritos em cima da imagem.

— Uau — respondo, sem saber ao certo qual deveria ser minha reação.

— Não é? Ele tem um corpão. Todas as meninas da minha sala vão *morrer* de inveja. Megan Barker vai voltar a ser a melhor! — Ela engancha o braço no meu e apoia a cabeça em meu ombro a caminho de seu dormitório. — Penny, esse dia foi demais. Obrigada.

— Ah... por nada? Não sei bem o que eu fiz.

Ela batuca com os dedos em meu braço.

— Mas eu não sou a única com sorte por aqui.

— Como assim?

— O Callum me pediu o seu número! Espero que não se importe, mas eu dei.

— O quê? Megan!

Ela joga a cabeça para trás e ri, e vejo um brilho malicioso em seus olhos. Essa é a Megan que eu conheço.

— Ah, ele gostou de você, e é claro que você não se importa de passar um tempinho com ele. Ouvi quando estavam falando sobre fotografia, lentes isso, ângulo aquilo. Que mal tem? Se ele ligar e te convidar para sair, você sempre pode dizer "não".

Mordo o lábio, mas acabo dando de ombros.

— É, acho que sim.

— É claro! Mas eu não diria "não" no seu lugar. Ouvi dizer que o Callum não é só um gato, mas um gato *super-rico*! A família dele tem uma propriedade enorme na Escócia. Ele deve ser *laird*, ou alguma coisa assim.

Laird. Sei, um latifundiário.

— Sei — respondo. — Mesmo que isso seja verdade, essa é só mais uma razão para eu não sair com ele. O garoto deve ser muito arrogante.

— E prometido a uma condessa — acrescenta Megan, balançando a mão diante do rosto como se abanasse um leque. — Ah, talvez ele conheça a realeza? Desculpe, Penny. Acho que ele não vai ligar. Você não é do *nível* dele. — Megan me cutuca com um dedo, mas sinto a cutucada bem mais profunda.

Quando voltamos ao quarto, ela se joga na cama, ainda olhando para o snap de Luke. Eu me acomodo na cadeira e olho em volta. Não consigo deixar de pensar em Posey. Não só em sua linda voz, mas também no papel que ela tem no espetáculo.

— Megan, posso te fazer uma pergunta?

— É claro! — Ela suspira, sonhadora.

— Por que o dia de hoje foi o máximo? Quer dizer, além do convite do Luke supergato?

Ela vira de bruços para olhar para mim e levanta as pernas. Apoia o queixo nas mãos e estuda meu rosto.

— Não sei. Acho... que ter você aqui ajudou muito. Não estava muito fácil.

— Como assim? — pergunto com delicadeza. Megan não costuma se abrir, ela dança em volta dos assuntos com a agilidade de uma bailarina.

— Ah, você sabe, as garotas aqui são umas vacas...

— Megan...

Ela engole e deita de costas. Seus pés sobem pela parede, os olhos se fecham.

— Não fiz amigos aqui. Não como era em casa, onde eu tinha toneladas de amigos. E todo mundo é muito talentoso. Às vezes... às vezes eu acho que sou a pessoa menos talentosa aqui.

Respiro fundo.

— Mesmo tendo conquistado um papel importante em *West Side Story*?

Ela balança a cabeça.

— Não tenho um papel tão importante. — As palavras são quase um sussurro, e saio da cadeira para ir me sentar na cama ao lado dela. — Só faço parte do coro de vozes.

— Por que você mentiu? Você não precisa provar nada para nós. Já está em uma escola superbem conceituada. Todo mundo te acha incrível.

— Eu sei. Só não queria que as pessoas de casa me vissem como um enorme fracasso, porque é assim que eu me sinto. — Ela abre os olhos e me encara. — Além do mais, sou substituta para o papel principal, o da Maria. A garota que ficou com o papel é uma medrosa, ela vai acabar desistindo. Não achei que seria tão ruim contar uma mentirinha branca.

— Medrosa? — A Posey que conheci não parecia ser covarde, só um pouco perdida.

— Ela tem medo do palco ou coisa assim, e está aqui graças a uma bolsa de estudos. A Madame Laplage vai mandar a menina para casa se ela recusar o papel. Mas, se a pessoa não consegue lidar com a pressão aqui, como pode ter esperança de sobreviver no mundo? É *atuação*, não é?

— Mas ainda é uma escola. Não devia ter alguém ajudando essa garota com isso?

Megan franze a testa.

— Quer que eu fique com o papel ou não?

— Acho que não é justo alguém ser punido por ter ansiedade.

Megan amolece um pouco.

— Não foi isso que eu quis dizer. Desculpa, Penny.

— Madame Laplage é uma pessoa de verdade? Não é só um nome?

— Ah, ela é real, sim. E é *assustadora*. Não a vemos muito por aqui, mas quando ela aparece é porque alguém está muito encrencado ou vai se tornar uma grande estrela. Ela é tipo uma *olheira* de jovens talentos para muitas áreas.

— Uau! Você já viu essa mulher?

Megan balança a cabeça.

— Os alunos do primeiro ano quase nunca a veem. Além do mais, não tem a ver só com quem consegue um papel nas peças ou espetáculos. Lembra das meninas que conheceu mais cedo? Elas são blogueiras, têm blogs grandes que todo mundo na escola lê, e são supercriativas. Eu também comecei a escrever um blog, mas quase ninguém lê o meu. Não sei o que estou fazendo de errado.

— Posso ver? — peço. As palavras de Megan sobre Posey não foram gentis, mas sei que ela está passando por um momento difícil.

— Pode. — Ela liga o computador e acessa o blog. Como eu esperava de Megan, o design é muito bom e as fotos e estilos que ela escolhe divulgar são bem coordenados.

— É muito bom! — comento com honestidade.

— Obrigada, mas quase ninguém visita a minha página.

— Você visita outros blogs?

— Sim...

— E deixa comentários ou coisa assim?

Ela abre a boca, espantada.

— É claro que não! Não quero que saibam que eu estive ali, quando essas pessoas nunca se incomodaram em visitar o meu blog.

— Está vendo? Esse é o problema. Se você se abrisse um pouco e deixasse todo mundo ver que se importa com as pessoas tanto quanto gostaria que elas se importassem com você, talvez elas aceitassem sua aproximação. Ser blogueira tem a ver com comunidade, e tive a impressão de que essa escola também é uma pequena comunidade. Vocês precisam cuidar uns dos outros. E às vezes você tem que tomar a iniciativa. Se gosta de alguma coisa que foi postada em um blog, *diga a quem postou*. É possível que a pessoa vá visitar o seu blog para ver o que você compartilha. Dar e receber, entendeu?

— Aposto que você nunca comenta no blog de outra pessoa, agora que é a famosa Garota Online.

É minha vez de reagir, chocada.

— Está brincando? Comentar no blog dos meus amigos é uma das coisas que eu mais gosto de fazer! Serve para mostrar que eu reconheço o tempo e o esforço que eles dedicam aos posts, porque eu dediquei um tempo para responder.

— Hum, acho que faz sentido — diz Megan.

— Experimenta. Aposto que o seu blog vai ser muito mais acessado. E talvez você ainda faça alguns amigos.

Megan sorri.

— Obrigada por ter vindo, Penny. Sério.

— Por nada.

22 de setembro

Como Fazer Seu Blog Ser Notado

É sempre um pouco desanimador quando você passa muitas horas debruçada sobre o laptop, tentando aperfeiçoar um post para o blog, e ninguém comenta. Todo mundo já passou por isso: ninguém começa um blog com uma plateia pronta e esperando, e isso faz parte da diversão, na verdade. Minha amiga decidiu recentemente começar a escrever um blog e me pediu algumas orientações, então pensei em escrever uma listinha com os conselhos que dei a ela, e espero que seja útil para quem estiver lendo isto.

Se você está procurando um pouco de orientação e confiança, eu penso o seguinte:

1. Comece uma discussão. Termine o post com uma pergunta que resuma o que você escreveu e incentive os leitores a deixar uma resposta.

2. Envolva-se. Comece pelo Twitter e se envolva em discussões de blogs que usem uma determinada hashtag. Promova o seu blog para outros blogueiros e faça amigos. Você vai descobrir que muitos de vocês têm várias coisas em comum, então você sempre vai ter sobre o que conversar.

3. Comente em outros blogs dos quais goste. Outras pessoas que estiverem comentando irão ver a sua resposta e saber que você também tem um blog. Além do mais, como já falei, é legal se envolver.

4. Promova o seu blog nas mídias sociais. Use o Instagram e poste uma foto com o link do blog. Tem muito tráfego no Instagram, e se você usar hashtags que as pessoas possam procurar existe uma boa chance de elas encontrarem o seu blog. O Pinterest também é ótimo!

5. Seja natural. Não encha as pessoas com spam nem tuíte links o tempo todo. Ninguém gosta de quem exagera, e o resultado pode ser negativo. Faça o que for natural para você. Divirta-se e não dê muita atenção aos números! Essas coisas levam tempo, mas, com um pouco de paciência e algum compartilhamento nas mídias sociais, logo você vai ter leitores!

Espero que essas dicas ajudem de algum jeito. No fim das contas, números são números, e, enquanto você estiver se divertindo e escrevendo por *você*, isso é tudo que importa. Mesmo que o meu número de seguidores caia para cinco da noite para o dia, vou continuar escrevendo, porque eu adoro. É a minha válvula de escape e fico superfeliz por causa disso!

Você começou a escrever um blog recentemente? Vai usar alguma das minhas dicas? (Percebe o que fiz aqui? Volte ao item 1, haha!)

Garota Online, saindo do ar xxx

7

Na manhã seguinte, quando eu estava a caminho da estação de metrô, era como se a nossa conversa nem tivesse acontecido. Megan voltou a ser a pessoa de sempre, jogando o cabelo e falando sem parar sobre o encontro que teria com Luke. Só quando paramos, ela voltou ao assunto.

— Por favor, não conta para ninguém em casa que eu estive, hum... enfrentando dificuldades por aqui. Não quero arruinar a minha reputação!

— Não vou contar, mas Megan... você não tem do que se envergonhar. Está indo muito bem. E vai fazer muitos amigos, se for você mesma. — Faço uma pausa antes de acrescentar: — A versão mais legal de você mesma.

Se Megan se ofende com meu comentário final, ela não demonstra.

— Você também. Se o Callum te convidar para sair, aceita.

— Vou pensar.

— É melhor do que ficar se preocupando com o fantasma do Noah Flynn te assombrando o tempo todo. — Ela movimenta os dedos misteriosamente. Depois pisca. — Eu também leio o *Garota Online*. E vou seguir as dicas do seu blog.

Quando nos abraçamos, sinto que ela aperta meus ombros. É o máximo de afeição que já recebi de Megan, e sei que deve significar que ela realmente sente minha falta.

— Também vou ficar com saudade — digo.

— A gente se vê em novembro, quando o espetáculo for exibido, não é?

— É claro. Eu não perderia isso por nada no mundo.

— E, se pensar em mais alguma coisa para eu voltar a ser a Miss Popularidade, me avisa! Agora ande, ou vai perder o trem.

Olho as horas na tela do celular. Megan tem razão. Depois de mais um abraço rápido, passo correndo pela catraca com meu cartão e me jogo dentro do metrô antes que as portas se fechem.

Quando estou acomodada no trem de volta a Brighton, vendo os bairros do sul de Londres passando do outro lado da janela, penso em Megan e Posey, duas garotas totalmente diferentes, mas com sonhos semelhantes. Uma tem toda a confiança do mundo, mas precisa se concentrar em sua capacidade técnica. A outra tem todo o talento e a técnica do mundo, mas nenhuma confiança.

Desde que acompanhei Noah na turnê mundial, vi muitas estrelas se apresentando no palco. The Sketch, Leah Brown e, é claro, o próprio Noah. Todos têm estilos diferentes, mas uma coisa que têm em comum é aquela magia específica, aquele carisma que atrai o olhar e prende a atenção. Poder de Estrela? Fator X?

Seja qual for o nome, também vejo isso pela lente da minha câmera. E não tem nada a ver com ser simplesmente famoso: Elliot tem isso aos montes, mas Megan e Posey ainda não chegaram lá.

Meu celular vibra. É uma notificação de e-mail. Eu me surpreendo ao ver que é de Posey e abro a mensagem:

Querida Penny,

Queria te agradecer por ontem. Às vezes me sinto sozinha neste lugar, mas você me fez sentir muito melhor. Você entende que meu pânico do palco não é só uma coisa que posso varrer para baixo do tapete e fingir que não existe. Você é a primeira pessoa que não me disse para "simplesmente conviver com o problema", e isso é muito importante.

Sei que provavelmente não vamos nos ver de novo, porque vou para casa, mas queria te agradecer do mesmo jeito.

Posey xx

Ler o e-mail me faz sentir ainda mais determinada a ajudar. A única pessoa que conheço e passou algum tempo no palco é minha mãe. Lembro dela me contando que tinha medo de se apresentar em público (durante um tempo que ela chama de seus "anos perdidos" em Paris) e tenho certeza de que ela conhece algumas estratégias para lidar com esse sentimento. Aparentemente, os outros alunos da Madame Laplage podem ser bem impiedosos com relação a medos e ansiedades. Sei que minha mãe pelo menos vai ouvir com empatia.

Respondo ao e-mail de Posey.

Posey! Que bom ter notícias suas.

Vai fazer alguma coisa no fim de semana? Minha mãe foi atriz em Paris na década de 80. Não quer pegar um trem para Brighton e ir conhecê-la? Além do mais, seria ótimo encontrar você de novo. Posso te mostrar os pontos turísticos, como o píer, e a gente pode ir fazer compras na Lanes.

Penny x

Agora só posso esperar e torcer para ela poder ir. Sei que minha mãe pode ajudá-la, nem que seja só para garantir que ela não está sozinha.

Depois de mandar o e-mail, apoio a cabeça na janela do trem. As ruas de Londres desapareceram, substituídas pelas colinas verdes da área rural inglesa. E, raridade, não está chovendo.

Minha mente volta ao meu recente ataque de pânico, a Callum, à sala comunitária e ao novo estilo de vida de Megan. Foi a atenção de Callum que me deixou tão perturbada? Acho que foi o fato de eu me sentir bem com a atenção dele. Foi tudo novo e empolgante. Posso ter me soltado um pouco no jogo de sedução, e talvez tudo isso tenha sido demais para mim. Isso significa que existe mesmo vida depois de Noah? Isto é, se Callum não desistir completamente, depois de eu ter corrido para casa sem nenhuma explicação?

Ele ainda quis seu telefone, uma voz interior me lembra.

Dou um pulo quando o celular vibra com uma notificação de mensagem. Será que é... Não, não é o Callum. É a minha mãe.

Já está voltando pra casa? Tem uma grande surpresa te esperando aqui! Xx

Uma grande surpresa? Será que é o Noah?

Eu me encolho por dentro quando meu coração traiçoeiro pula de um garoto para outro.

Pego a câmera e passo o restante da viagem vendo as fotos que tirei. A vida é mais que garotos, e essa câmera vai me ajudar a superar.

8

Quando me aproximo da porta de casa, uma coisa chama minha atenção. Sentada na janela da frente, a maior de todas as outras, há uma cachorrinha olhando para a rua como se esperasse alguém voltar para casa. Ela tem pelo vermelho abundante e está com uma roupa diferente daquela que usava na última vez que a vi: agora ela usa um tutu cor-de-rosa e pulôver amarelo, um estilo muito distante do vestido antigo em estilo eduardiano com que a trouxe para casa. Mas o tutu e o pulôver têm mais a ver com sua dona atual, uma menina de cinco anos.

Mas se a Princesa Outono está aqui...

Franzo a testa. *Isso só pode significar...*

A porta se abre e outra figura conhecida aparece no alto da escada.

— Penny! — ela grita com alegria.

— Bella!

A irmãzinha do Noah desce a escada correndo e pula nos meus braços. Ela enlaça minha cintura com as pernas, e eu a abraço com força.

— Que bom te ver! Como você cresceu em tão poucos meses!

— Senti saudade, princesa Penny!

— Eu também. — Beijo a cabeça dela quando a ponho no chão.

Ela segura minha mão e começa a me puxar para dentro de casa.

— Corre! Seu pai está fazendo panquecas com carinhas risonhas para mim!

— Ah, é a especialidade dele! — Não consigo deixar de sorrir, embora esteja muito confusa. Eu a sigo pela escada e para dentro de casa.

Na porta da nossa sala de estar, vejo a silhueta elegante de Sadie Lee, avó de Noah. Quando ouve meus passos, ela vira e seu sorriso caloroso a ilumina.

— Penny! Que bom ver você, meu bem. Você está ótima. — Ela me abraça e me dá dois beijos no rosto. Seu cabelo grisalho, antes longo, agora está curto e elegante. Com suas faces altas e olhos brilhantes, é a avó mais sofisticada que já conheci.

— Que bom ver você também! Uau! E... — As palavras seguintes ficam presas em minha garganta. *O Noah está aqui?*, tenho vontade de perguntar, mas não quero parecer ingrata.

— Infelizmente, não — diz Sadie Lee, adivinhando minha pergunta e inclinando a cabeça como se pedisse desculpas.

— Ah — digo, sem conseguir esconder a decepção que me faz inclinar os ombros.

— Pelo jeito você também não tem notícias dele?

Balanço a cabeça.

Ela suspira.

— Aquele menino... Ele vai entrar em contato quando se sentir preparado.

Quando percebo que ela está dizendo que também não tem notícias dele, o medo aperta meu coração.

— Ele está bem?

— Sim. Deixou um recado com o novo empresário, um número de emergência, caso algo muito grave aconteça, e um pedido para que respeitem a vontade dele de dar um tempo em tudo. O Noah sempre foi um espírito livre, capaz de resolver as coisas sozinho, e precisa de privacidade. Eu o conheço muito bem. Se formos atrás dele, ou se ficarmos pedindo notícias por mensagens e e-mails, Noah vai se afastar ainda mais da situação, seja ela qual for. Ele precisa de espaço, e é isso que vamos dar a ele. Mas... fico feliz por termos nos encontrado.

— Eu também.

Minha mãe sai da cozinha e diz:

— Ah, que bom, você chegou! Surpresa, Penny querida!

— A melhor surpresa possível!

Minha mãe olha para Sadie Lee.

— Já falou para ela?

— Falou o quê? — pergunto, imediatamente curiosa.

Sadie Lee dá risada.

— Ainda não! Mas não há ocasião melhor do que esta. Não viajamos até aqui só para visitar sua família, por mais que isso seja maravilhoso. Sua mãe e eu decidimos fazer outro evento juntas.

— Ah, é? — Aplaudo, animada. — Aqui em Brighton?

Minha mãe balança a cabeça.

— Desta vez não. É melhor ainda. Lembra daquele casamento na Escócia?

— Aquele nas férias de meio de ano? — É o evento mais lucrativo que minha mãe foi contratada para fazer este ano, quase tão grande quanto o casamento de última hora em Nova York no Natal, quando conheci o Noah. Por ser férias, Elliot, Alex e eu vamos poder ajudar. Vai ser minha primeira viagem à Escócia, e Elliot já está escolhendo as roupas perfeitas para usarmos na noite do baile, tudo com um toque de xadrez, é claro.

— Exatamente. A Sadie Lee aceitou assumir o bufê, e ela e a Bella vão viajar com a gente!

Meus olhos saltam de minha mãe para Sadie Lee.

— Isso é maravilhoso! — exclamo. Sadie Lee é uma profissional de primeira, alguém com nome e prestígio especialmente por ser uma confeiteira incrível. (Até o queijo quente que ela faz é o melhor. Não tem nada que ela faça que não seja uma delícia.) Minha mãe é uma excelente cerimonialista, e as duas formam uma dupla imbatível.

— Mas temos muito o que preparar, por isso vou levar a Sadie Lee até a loja logo depois do café. Pode cuidar da Bella hoje à tarde?

— Oba! Oba! Oba! — Bella pula e puxa minha jardineira a cada grito.

— É claro! — respondo com um sorriso largo. — A gente vai se divertir muito, não vai, Bella?

A voz do meu pai interrompe a conversa antes que Bella possa responder.

— Quem quer panqueca?

— Eu! — ela grita e corre para a cozinha. Só quando Bella sai da sala, a ficha realmente cai para mim. Elas estão *aqui*! Meu coração está tão cheio que parece que vai explodir. Como se romper com Noah não fosse suficiente, também sofri por não ver a família dele. Aprendi a amá-las. Bella e Noah têm os mesmos olhos castanhos, e tê-la por perto é uma forte lembrança de que Noah não está aqui. Embora isso me machuque um pouco, é bom saber que elas ainda se sentem confortáveis o bastante para serem minhas amigas.

Pensar em amizade me faz lembrar de repente do meu melhor amigo.

— Mãe, tudo bem se eu for ver o Elliot? Ele deve estar cansado de ficar sozinho com os pais enquanto eu estive fora, porque o Alex viajou... — *E tenho que contar para ele sobre meu sábado maluco*. Ele vai simplesmente desabar quando souber do Callum. Espero que se orgulhe de mim por eu ter me afastado pelo menos um pouco do Garoto Brooklyn.

— Você já comeu?

— Já! Comi um sanduíche no trem.

— Então vá! Mas volte antes das onze. Seu pai pode cuidar da Bella até lá.

Dou um beijo no rosto de cada uma e abraço Sadie Lee com força. Saio pela porta principal e pulo os degraus da frente da casa de Elliot.

— ... se *talvez* você me ouvisse um pouco mais!

— *Eu*? Ouvir? *Você* nunca me dá espaço para falar NADA!

Meu dedo para antes de tocar a campainha quando as palavras furiosas atravessam a porta. Quase me encolho. A mãe e o pai de Elliot estão brigando de novo. Dou um passo para trás e olho para a janela mais alta, tentando ver algum sinal de Elliot sem interromper os pais dele.

Mas não preciso me esforçar. A porta se abre de repente, e um Elliot de rosto muito vermelho sai da casa, quase me derrubando.

— Elliot! — grito. Ele levanta a cabeça e, quando vê que sou eu, me abraça.

— Por favor, me tira daqui — sussurra em meu ouvido.

Pego a mão dele e descemos a escada correndo. Sei exatamente para onde vamos.

9

Dentro do Starbucks, segurando um latte de abóbora com especiarias, Elliot é uma tempestade de emoções. Lágrimas lavam seu rosto, e o pobre barista que nos atende lhe dá uma dose extra de calda para ajudar a animá-lo.

— Eu não aguento mais, Pen. Eles estão brigando desde sexta-feira à noite, brigaram ontem o dia inteiro e começaram de novo hoje de manhã. E sabe o que provocou o começo da briga?

Não quero nem perguntar, mas ele continua e me conta do mesmo jeito.

— A cor da gravata do meu pai. Parece que ele foi trabalhar com uma gravata e voltou para casa com outra. Minha mãe quis saber por quê. Meu pai deu uma desculpa esfarrapada sobre ter respingado sopa na gravata na hora do almoço ou coisa assim.

— Bom, pode ser verdade.

— Pode, mas não importa, porque a minha mãe não acredita nele. Os dois não pararam de gritar até eu fazer a bobagem de descer e preparar uma torrada com abacate para não morrer de fome. Minha mãe me pressionou e perguntou o que *eu* acho. — Ele bebe um grande gole de café.

— Ai, cara, e o que você disse?

— Não precisei dizer nada! Meu pai gritou alguma coisa, tipo: "Por que pedir conselho para ele sobre relacionamento, se o relacionamento dele não é bem-vindo nesta casa?". Daí minha mãe gritou com ele por ser homofóbico e mudou de tática. Ela me perguntou de que cor era a gravata do meu pai na sexta-feira de manhã, e eu respondi que não sabia, porque estava na casa do Alex. Minha mãe começou a chorar e disse que eu gosto mais do Alex do que dela e que eu estava proibido de passar a noite na casa dele. Foi então que eu saí e... estamos aqui.

— Ai, Elliot. Sinto muito.

— Isso tudo é muito frustrante. Meus pais formavam o casal mais reservado do mundo, do tipo que vai guardando o que sente até explodir, e agora eles vivem envolvidos nessas brigas épicas. É como se vinte anos de raiva reprimida explodissem. Eu não suporto mais isso. O ambiente é tão carregado que sinto que preciso tomar banho toda vez que entro em casa. — Ele se arrepia. — O Alex é a minha única via de escape, o que significa que não vou deixar de passar as noites lá, *de jeito nenhum*, mesmo que eu nunca mais possa voltar para casa.

— Você não está falando sério.

Os olhos azuis brilham cheios de lágrimas atrás dos óculos verde-garrafa.

— Talvez não. Talvez sim. O limite do meu Cartão Grande Fuga vai aumentando cada vez que a minha mãe se sente culpada e me dá dinheiro por passar o tempo todo brigando. Você não sabe o que é aquilo. É o inferno na Terra.

Deve ser sério, ou ele não estaria falando sobre o Cartão Grande Fuga. Elliot vive cheio de planos malucos, que sempre começam com "vamos fugir para" e terminam com algum lugar glamoroso como Paris, LA ou até "o circo!", mas não qualquer circo velho, teria que ser o Cirque du Soleil. Ele não desiste nem quando digo que não consigo sequer executar uma estrela. Em algum momento ele percebeu que ia precisar de dinheiro se quisesse transformar esses planos em realidade, e aí surgiu o cartão — um cartão de débito para suas economias "só por precaução". Uma coisa de que sempre senti inveja, mas nunca fui suficientemente controlada com meu dinheiro para criar. Seguro a mão dele e a aperto com firmeza. Ele retribui e me dá um sorrisinho.

— Ai, fala alguma coisa para me distrair — ele diz. — Conta como foi o seu dia com a Mega-Nojenta.

— Ah, ela não é tão ruim, Wiki. E a escola dela é legal de verdade. Sinceramente, nunca vi nada igual. Parece coisa de programa de TV, mas... — Elliot se inclina para a frente, sentindo a fofoca suculenta. Não quero quebrar a promessa que fiz a Megan e contar que ela não está bem, mas preciso do conselho de Elliot sobre Posey. Respiro fundo e continuo: — Tive um pequeno ataque de pânico e precisei sair, e quando estava fora do prédio eu conheci uma garota que também é da sala da Megan. Ela é uma cantora incrível, mas tem pavor de palco e acabou de ser escalada para o papel principal de *West Side Story*.

— Espera, o papel principal não era da Megan?

Balanço a cabeça.

— Ela é a substituta.

— O quê? Então ela está mentindo no Facebook?

— Bem, se essa garota não conseguir se apresentar, a Megan fica com o papel principal. E agora estou dividida, quero muito ajudar essa garota, mas, se a Megan descobrir, ela vai me matar.

— Ora, ora, ora. — Elliot se recosta na cadeira. — Então a Mega-Estrela é uma Mega-Farsa.

— Elliot...

Ele ri.

— Não se preocupa, eu não vou falar nada.

— Tem mais uma coisa, e isso pode mudar sua opinião sobre ela. É uma coisa sobre a qual vocês concordam.

— Duvido, mas fala.

— Na sala comunitária tinha um cara, e ela deu o meu telefone para ele.

Agora Elliot se inclina para a frente e apoia as mãos abertas na mesa.

— PARA! Preciso dos detalhes. Alto? Cor dos olhos. Gato? Nome. O que ele faz? Fala *tudo*, Penny Porter.

Dou risada.

— O nome dele é Callum e ele é escocês.

— Já amo esse cara — Elliot fala, fingindo uma vertigem.

— Ele é aluno do curso de fotografia na Madame Laplage, é muito alto, tem olhos verdes maravilhosos e cabelo loiro, curto e ondulado. Acho que é um pouquinho lindo!

— Um fotógrafo geek supergato? Tem certeza de que não sonhou com esse cara?

Sinto um rubor esquentar meu rosto enquanto converso sobre Callum.

— Não sonhei, mas foi estranho conhecer alguém com quem tenho tanta afinidade. Superficialmente, pelo menos.

— Por isso você tem que sair com ele, Penny. Para descobrir se tem alguma coisa mais profunda! — Ele pisca. — E imagino que ele tem uma delícia de sotaque escocês?

— Como é que é?

— O sotaque! *Och aye the noo, lassie,* a música "Auld Lang Syne" e tudo isso?

Faço uma careta para a horrível imitação do sotaque escocês.

— Não *desse* jeito, mas sim, algumas vezes tive que prestar muita atenção para entender o que ele dizia! Parece que está falando outra língua, mas eu gosto.

— Ah, é tão romântico!

— Vai com calma. Ele ainda não ligou nem mandou mensagem.

— Mas vai.

— Como você sabe?

— Tenho um pressentimento. Ah, Pen, estou superfeliz por você.

Assinto.

— Mas não toca nesse assunto quando estivermos na minha casa.

— Por que não? Aposto que seus pais também vão ficar felizes por você ter conhecido outra pessoa e não ficar mais choramingando por aí.

— Presta atenção: um, isso não é um relacionamento, ele só pediu o número do meu telefone, e dois, a Sadie Lee e a Bella estão na minha casa.

— O quê? Por quê? Ele...

— Não, ele não voltou — falo depressa. — A Sadie Lee vai preparar o bufê para o casamento escocês daqui a duas semanas.

— E você está feliz com isso? — ele pergunta, imediatamente capaz de ler meus pensamentos como se eu fosse um livro aberto.

— É claro que estou! Eu amo a Sadie Lee e a Bella!

— Mas...

Um suspiro.

— Mas isso só me faz pensar ainda mais nele. E me preocupar com ele. E tentar descobrir o que ele está planejando...

— Eu sei. Mas agora você tem o projeto Callum e o projeto Aluna de Teatro para se concentrar.

— Só posso torcer por isso. Quando o Alex volta?

— Hoje, mais tarde. Ainda bem!

— Quer convidar o Alex para ir lá em casa? Vocês dois podem me ajudar a cuidar da Bella.

— Legal. Mas é provável que a gente escute a briga dos meus pais através da parede e tenha que ouvir aquele disco brega da década de 90 que você mantém ao lado da sua cama, e bem alto.

— Ei, ninguém resiste a um pouco de Spice Girls em uma terrível noite de outono. Não se preocupe, tenho uma ideia para a gente sair de casa de novo mais tarde.

Elliot assente, mas de repente parece infeliz de novo. Mordo o lábio.

— Ai, Elliot. O que você está pensando em fazer?

Ele dá de ombros.

— Não sou eu que vou decidir. São eles. Estou só na contagem regressiva até poder sair de lá de verdade.

* * *

Voltamos para casa um pouco antes das onze horas, bem a tempo de Elliot reencontrar Sadie Lee.

— Ah, querido, precisamos colocar nossa conversa em dia. Tem que me contar tudo sobre o seu estágio. Você podia ir para Nova York, não é? Sempre vai ter um quarto para você na minha casa.

Os olhos de Elliot brilham, mas desta vez com lágrimas de alegria, não de tristeza.

— Sério? Nova York é, assim, o SONHO. Vou ser tipo a Heidi Klum em *Project Runway* — *auf wiedersehen!*

— Perfeito! Agora temos que correr. Pronto, Rob? Dahlia? — ela pergunta aos meus pais. — A Dahlia e eu vamos trabalhar, mas logo vamos ter muito tempo. — Minha mãe e Sadie Lee saem num turbilhão de beijos e abraços, meu pai carregando os tacos de golfe para sua partida de fim de semana.

Quando todo mundo sai, eu me ajoelho no chão.

— E aí, Bella, quer ver onde os dragões moram em Brighton?

10

— Não acredito que passei a minha vida inteira em Brighton e nunca vim aqui! — Elliot exclama enquanto olha para o teto.

Estamos no Brighton Pavilion, uma bela, mas estranha ex-residência real no centro de Brighton e um dos edifícios mais interessantes de toda a cidade. Lembro de ter ido visitar o prédio com meus pais quando era criança, por isso pensei que esse seria o lugar perfeito para levar Bella, mas tinha esquecido como tudo aqui era fascinante. Eu costumava chamar a casa de palácio do sr. Whippy, porque as cúpulas brancas me faziam pensar em sorvetes.

É muito estranho como a gente pode deixar de notar os lugares incríveis que estão bem no nosso quintal. Brighton sempre foi minha casa, e tem muita coisa nela que eu nem percebo. Jurei a mim mesma apreciar mais minha cidade natal.

— Sabia que aqui era um hospital militar para soldados indígenas na Primeira Guerra? — Elliot comenta.

Alex passa um braço em torno do pescoço dele e beija seu rosto.

— Meu nerdinho sabe-tudo! — ele diz.

— É, e você adora — Elliot retruca.

— E você sabe que é verdade — Alex insiste com uma piscada.

Sorrio para os dois.

— Pelo menos *alguém* aprecia o conhecimento do Elliot.

— E vocês sabiam que a rainha Vitória vendeu esta casa para a cidade pela irrisória quantia de mais ou menos cinquenta mil libras porque não gostava de Brighton? Não sei qual era o problema dela...

Elliot e Alex seguem na frente de mãos dadas, acompanhando as cordas de veludo que marcam a rota dos visitantes pelo Pavilion. Estou muito feliz por Elliot ter perdoado a indecisão de Alex no ano passado, e por Alex ter escolhido enfrentar a situação. Com toda a confusão e os problemas que estão acontecendo na vida de Elliot agora, ele precisa do amor sempre presente e reconfortante de Alex. Toda a tensão que enrijecia os ombros de Elliot desapareceu no momento em que encontramos Alex. Nem eu tenho mais esse efeito sobre ele. Se existe um casal que promete durar por muito tempo, com certeza é Alexiot.

Percorremos os diferentes aposentos e chegamos à cozinha, onde enormes panelas de cobre estão penduradas na parede. Imagino todas as maravilhas que Sadie Lee faria em uma cozinha como esta.

Entramos no Salão de Banquetes, e não consigo deixar de pensar em todos os eventos que Sadie Lee e minha mãe poderiam organizar ali juntas, se tivessem uma oportunidade. Talvez eu deva dar essa sugestão a elas.

— Penny, olha! — Bella segura a ponta do meu cardigã e puxa. Olho na direção que seu dedinho gorducho mostra e vejo um deslumbrante lustre dourado com um dragão chinês com corpo de serpente enrolado na corrente.

Sorrio.

— Ah, eu falei que tinha dragões em Brighton!

— Uau — ela murmura e se aproxima da minha perna.

Eu a abraço.

— Não tenha medo, é só de enfeite. — Eu adoraria tirar fotos, mas aqui não é permitido. Minha câmera fica dentro da bolsa que levo pendurada de um lado do corpo.

Alex está olhando para a mesa de banquete lindamente arrumada, sem nenhum garfo fora do lugar.

— Esse homem... quem era ele, mesmo?

— Príncipe George, antes de se tornar George IV — responde Elliot, fonte de todo conhecimento.

— Sem dúvida, ele era dono de um gosto interessante — Alex conclui.

— Acho que ele é o meu herói — Elliot comenta quase sem ar. — É tão exagerado... Se eu pudesse, me mudaria para cá amanhã.

Quando terminamos de percorrer o Pavilion, vamos parar no Tearoom. Bella está exausta da visita e da viagem e, depois de tomar uma caixinha de suco de maçã, senta no meu colo para cochilar. Elliot, Alex e eu pedimos chá e rimos enquanto bebemos.

Elliot se inclina para a frente sobre sua xícara de chai.

— Acho que somos as únicas pessoas com menos de vinte anos nesta sala inteira.

Olho em volta, e ele não está enganado: a maioria das pessoas ali é bem mais velha. Mas o Tearoom serve scones deliciosos. E não vamos reclamar.

— Querem ir ver um filme hoje à noite? — Alex convida.

— Eu adoraria — respondo. — Mas tenho que ver com a minha mãe se a Sadie Lee não vai ficar para jantar.

Elliot sorri.

— Um filme é uma ótima ideia. Tem aquele sueco novo legendado...

— Ah, não! — Alex e eu protestamos ao mesmo tempo. Elliot faz biquinho, mas desta vez ele não vai ganhar.

— Quero ver o novo filme dos Vingadores — diz Alex.

— Vetado! — Elliot protesta. — De jeito nenhum, não vou assistir a outra história em quadrinhos que Hollywood transformou em um filme cheio de imagens geradas por computador com ruídos de explodir os ouvidos.

Acho que esse é o único assunto sobre o qual Elliot e Alex discordam, embora os dois adorem cinema.

Levanto as mãos entre os dois, antes que isso se torne um debate entre cinema comercial e cinema mundial.

— E se eu der uma olhada no que está em cartaz antes de começarmos a Terceira Guerra Mundial? — sugiro.

Sem fazer movimentos bruscos que possam acordar Bella, pego o celular na bolsa. O hábito me faz clicar diretamente no ícone de e-mail, em vez de abrir o navegador, e vejo que tenho duas novas mensagens.

Cubro a boca com a mão.

— Oba! — grito ao ler a primeira mensagem.

— Que foi? — Elliot se inclina para mim, e Alex levanta uma sobrancelha.

— A Posey vem me visitar no próximo fim de semana! Ela pode vir!

— Ótimo! Projeto Aluna de Teatro em andamento!

Empurro o ombro de Elliot.

— Ela não é um projeto. É uma nova amiga. E aposto que você vai gostar muito dela. A Posey vai acabar com você no SingStar.

Elliot parede ofendido.

— *Ninguém* acaba comigo no SingStar!

Alex ri.

— Porque a gente não tem coragem suficiente para te ouvir cantar. — Ele olha para mim. — Agora conta, quem é Posey?

Resumo para Alex minha viagem para encontrar Megan e falo sobre Posey e seu medo de palco.

— Ah, quem é a Megan, mesmo? — ele pergunta.

— A que está sempre usando a amizade da Penny — Elliot dispara.

Faço uma careta.

— Ela não é tão ruim assim. Você só precisa ver o que está por trás da fachada que ela mostra. No fundo, ela é bem legal.

— É claro. Com a profundidade do Grand Canyon — Elliot resmunga.

Se não tivesse uma criança de cinco anos dormindo no meu colo, eu o teria chutado por baixo da mesa.

— Na verdade, sabiam que o Colca Canyon no Peru é duas vezes mais profundo que o Grand Canyon? — Alex comenta com um brilho provocante nos olhos.

— Ah, viu? — Elliot responde, rindo. — Eu não diria que ela é tão ruim assim! Mas, e agora, quem é o sabe-tudo?

Enquanto eles conversam, digito uma resposta rápida para Posey.

Que ótima notícia!

Te espero na estação às onze horas no sábado. Vou estar ao lado do piano. (Mas não tocando! Não tenho nenhum talento pra isso.) x

Agora que tenho um plano para encontrar Posey, eu me sinto muito mais feliz. Só tem uma coisinha que me incomoda, que é a dúvida sobre se devo contar a Megan. Mas ela não controla minhas amizades.

— Vamos embora? — pergunto. — Ah, esqueci de olhar os filmes em cartaz!

— Tudo bem, nós já vimos — Alex responde, sorrindo. — E escolhemos o mais novo da Disney. Topa?

— Sim! Vou falar com a minha mãe.

No meu colo, Bella se mexe, acorda e boceja.

— Vamos para casa? — pergunto, afastando algumas mechas de cabelo de seu rosto. Ela sorri, e uma covinha aparece em sua bochecha. De repente me espanto com o quanto ela é parecida com Noah. Mas é hora de parar de ver o fantasma dele em todos os lugares e caminhar para a luz. Tenho amigos que me amam, e novos amigos que vou amar.

E *isso* é sempre mais importante que qualquer garoto.

11

No dia seguinte, lavo o excesso de emulsão das minhas gravuras em preto e branco e as penduro para secar no varal da sala escura da escola. Eu havia tirado fotos de Bella brincando com a Princesa Outono, mas não saíram como eu queria, e agradeço ao meu inconsciente por ter me convencido a tirar algumas com a câmera digital também. Normalmente, a sala escura é um dos lugares de que mais gosto (mesmo que me deixe com as unhas marrons quando me esqueço de usar luvas). Mas hoje não está funcionando.

Desde que vi toda a dedicação de Callum ao portfólio, sei que preciso me esforçar mais. Não consigo me livrar da permanente sensação de que não estou dedicando tempo e trabalho suficientes ao meu ofício, não se desejo mesmo ser uma profissional. Tive alguns momentos de sorte, mas não quero contar só com ela. Além do mais, as palavras "unicamente Penny" continuam ecoando em meus ouvidos. Essas fotos não chegam nem perto disso. Sinto vontade de ligar o iPhone e usar a luz para queimar todas elas. Infelizmente, tenho que dividir a sala escura com meus colegas, por isso ranjo os dentes e deixo as fotos secarem.

A srta. Mills está sentada na sala de aula do lado de fora e levanta a cabeça quando bato a porta da sala escura, dominada pela frustração.

— Tudo bem, Penny?

— Ah, desculpa, srta. Mills... sim, tudo bem. — Ela espera alguns minutos até eu ceder. — É que ultimamente eu não tenho me entendido bem com a câmera analógica. Tudo que eu tento fazer não dá certo. Não sei como mudar isso. Não quero contar só com as fotos digitais e o Photoshop para concluir esse projeto.

Ela aponta a cadeira diante da mesa, e eu me sento nela, deixando a bolsa no chão, ao lado dos pés.

— Você tem se exigido muito, Penny. Está indo muito bem no curso, precisa manter isso em mente. Nem toda foto que a gente faz vira capa de disco — ela comenta com uma piscada.

— Eu sei, mas...

— Mas?

Sorrio. A srta. Mills me conhece muito bem. Tem sido uma rocha para mim desde que os acontecimentos no último Natal viraram minha vida do avesso e tem me apoiado durante a loucura que foi a turnê com Noah, embora fossem férias de verão. Ela também é uma das poucas pessoas que leu o *Garota Online* quando ele era privado. Eu confio nela.

— Mas eu quero ser melhor. Quero ter um *estilo* próprio. Quero que alguém olhe para uma das minhas fotos e diga: "Ah! É da Penny Porter!".

Ela se inclina sobre a mesa e apoia o queixo na mão.

— Estilo é algo que se desenvolve com o tempo. Você tem que experimentar muitas coisas até descobrir alguma característica que seja exclusivamente sua. Acho que você está precisando mudar de cenário. Muitas das suas fotos são de lugares aqui em Brighton, mas alguns dos seus melhores trabalhos foram feitos quando você foi forçada a sair um pouco da sua zona de conforto.

— Hum, acho que é verdade. — Minha cabeça começa a funcionar mais depressa, pensando em onde eu poderia ir para tirar fotos diferentes, e então: — Ah! Eu vou para a Escócia nas férias de meio de ano. Talvez eu possa fazer algumas fotos por lá.

— Isso é ótimo! Mas lembre-se de olhar para *além* do comum. Você é boa nisso, mas acho que está se sentindo um pouco perdida agora, por isso só está olhando para o que está na sua frente. Você só precisa recuperar o foco e abrir os olhos de novo. — Ela se recosta na cadeira. — Não estou preocupada, Penny. Você sempre encontra o seu caminho.

— Obrigada, srta. Mills. Vai fazer alguma coisa legal nas férias?

— Quem me dera! Comigo é só marcar, marcar, marcar... Ainda bem que eu amo o que faço.

— Ah, bem, espero que descanse um pouco.

— Eu também, Penny!

Pego minha bolsa do chão e me dirijo à porta. Quando estou chegando perto do meu armário, vejo Kira e Amara me esperando.

— Oi, gente! — Aceno e corro na direção delas.

— Penny! Como é a escola nova da Megan-Esnobe? — Os olhos de Kira cintilam.

— Sinceramente, parece uma cena de *Glee*! É muito legal. Combina muito com ela.

— Que bom! Talvez a gente também vá visitá-la — Amara comenta, animada.

— Quando? Preciso estudar pra caramba — Kira reclama. Ela é a mais preocupada de nós com as notas.

Pouso a mão no braço dela e o acaricio.

Meu telefone vibra, e eu o pego na bolsa. Mordo o lábio inferior quando abro a mensagem.

Não acredito que isso aconteceu.

— Penny? O que foi?

Olho para Kira.

— Como assim?

— Você ficou vermelha como um tomate!

— Ah, quando eu estava com a Megan, eu conheci um cara...

Amara e Kira deixam escapar um gritinho sincronizado de que só as gêmeas são capazes de dar.

— E aí? Fala! — diz Kira.

— O nome dele é Callum, e ele estuda fotografia na Madame Laplage.

— Ele é fofo? — Amara quer saber.

— Muito — respondo e sinto o rubor voltando. — E a Megan deu o meu número para ele.

— E ele te mandou uma mensagem? — Kira deduz. — Que demais! Você vai se encontrar com ele?

— E o Noah? — Amara pergunta.

Kira belisca o braço da irmã.

— Para que falar dele? A Penny não precisa pensar nisso agora.

— Eu sei, mas eu *adoro* o Pennoah. Sempre achei que vocês iam superar tudo isso e voltar a namorar — Amara justifica e dá de ombros como se estivesse se desculpando.

— Pennoah? Quando foi que chamaram a gente desse jeito? — pergunto, surpresa, fingindo que estou enjoada com o excesso de doçura.

Amara ri.

— Ah, é só uma coisa que vimos online uma vez e achamos tão engraçado que tivemos que adotar.

— Graças a Deus isso não pegou! — comento com uma careta. — E está tudo bem. O Noah e eu vamos ser eternamente amigos. Se algum dia eu tiver notícias dele, quero dizer. E o Callum foi superlegal, mas eu ainda nem o conheço direito.

— Não liga para a tonta da minha irmã — diz Kira. — Vá em frente e depois conta tudo pra gente.

— Tudo bem, tudo bem, mas agora me deixem responder.

Leio a mensagem mais uma vez.

> Oi, Penny, é o Callum. A gente se conheceu
> na ML. Queria muito te encontrar de novo
> algum dia pra conversar mais sobre
> fotografia. Quando você pode?

Respiro fundo, depois respondo.

> Oi. Legal saber de você. Este fim de semana
> eu não posso, mas talvez no próximo?

Toco em "enviar" e me surpreendo por não me importar com a forma da mensagem, especialmente em comparação com a agonia que foi mandar minha primeira mensagem para o Noah. Espero que isso seja parte do amadurecimento, não uma consequência de não ter os mesmos sentimentos malucos que eu tinha quando estava escrevendo para o Noah.

Meu celular vibra de novo. Kira levanta uma sobrancelha delineada.

— Uau, ele deve estar muito interessado, se já respondeu! O James demora uma eternidade para responder. — James é um jogador de rúgbi bonitinho de outro colégio e o atual interesse amoroso de Kira.

— Isso é bom. Significa que ele não está fazendo joguinho — Amara opina. — O que ele falou?

Leio a mensagem em voz alta.

> Legal! Só preciso de um tempo pra planejar alguma coisa um pouco mais divertida. Eu escrevo de novo quando pensar em um lugar pra gente se encontrar x

Kira une as mãos.

— Ai, meu Deus. Ele está em modo encontro total. Onde será que ele vai te levar?

— Não faço a menor ideia — respondo. *Mas seja onde for, não vai ser tão bom quanto meu primeiro encontro com o Noah,* penso. Depois xingo minha mente traiçoeira.

Meu celular vibra mais uma vez.

> Leva a sua câmera. Quero ver a grande Penny Porter em ação x

Ler a última mensagem provoca um frio na minha barriga. Ele não é o Noah, mas talvez isso vire alguma coisa, afinal.

12

Vejo a boina verde de Posey se movendo pela plataforma e aceno, animada. Senti o nervosismo crescendo em relação a este fim de semana e fiquei pensando se não seria um tiro no pé. Não é fácil viajar sozinha para encontrar alguém que você só viu uma vez. Eu me sacudo mentalmente. Vai dar tudo certo. Trocamos mais ou menos umas cem mensagens por WhatsApp, conversando como se nos conhecêssemos desde sempre.

Estou exatamente onde disse a ela que estaria, ao lado do piano que fica no meio da estação para qualquer pessoa que quiser poder tocar de graça. Quando ela passa pela barreira de catracas e se aproxima de mim, está sorrindo, acanhada. Então para alguns passos antes.

— Oi, Penny — diz.

— Oi! A viagem foi boa?

— Não foi ruim. — Ela olha em volta, registrando a banca de flores e as diversas barraquinhas de comida e café. Parece querer olhar para tudo, menos para mim. Deve estar tão nervosa quanto eu, mas estou decidida a não tornar a situação desconfortável.

— Tem algum lugar aonde queira ir primeiro? — pergunto. — O píer? A Lanes?

Ela dá de ombros.

Continuo falando quando começamos a andar pela rua da estação.

— Ah, é claro que você não sabe. Nunca esteve aqui! — Ela não responde, e me arrependo de não ter convidado o Elliot para vir junto. Ele sabe como derrubar barreiras.

— Aquilo é o mar? — Posey pergunta, arregalando os olhos. Chegamos à parte mais alta da Queen's Road, uma ladeira que desce até a praia de Brighton. Fico feliz por ser um dia ensolarado de setembro, porque Brighton se mostra em sua melhor versão. É difícil não se encantar com a cidade quando ela está brilhando ao sol.

— Sim. Quer ir lá primeiro?

Ela assente, mordendo o lábio.

— Eu adoro o mar.

— Eu também! — Engancho o braço no dela, e a tensão diminui. Daí em diante, a conversa flui com facilidade, como se o constrangimento fosse uma represa que conseguimos ultrapassar.

— O Callum escreveu para mim — digo. — Ele me convidou para sair. — Conto para Posey toda a história sobre Callum e Noah.

— Está feliz com isso? — ela pergunta.

— Para ser sincera, não sei... Ainda é estranho.

— Acho que é normal. Ele parece ser um cara legal. Devia dar uma chance para ele, pelo menos. O que pode acontecer de pior?

É animador conversar com alguém que não me conhece como a namorada do Noah. Ela não me faz sentir como se fosse uma traição estar pensando em sair com outra pessoa.

Respiramos o ar salgado à beira-mar, e ela dá um gritinho ao ver a praia de pedrinhas.

— É confortável deitar aqui? — ela pergunta. — Sempre vi fotos de pessoas na praia no verão, mas nunca reparei que tinha tantas pedras!

— A gente se acostuma — respondo. — Tentar encontrar a posição certa para se bronzear é como fazer uma massagem com pedras quentes.

No píer, compramos um algodão-doce grande e fofo e damos risada quando o corante tinge nossa língua de azul. Compramos também algumas fichas e vamos andar nos carrinhos bate-bate, e lembro como é divertido simplesmente sair com uma amiga.

Quando esgotamos todas as possibilidades de diversão no píer, paramos na minha sorveteria favorita, a Boho Gelato, onde compramos casquinhas do melhor sabor: bolo de cenoura. É tão macio e amanteigado que parece que estamos comendo realmente um delicioso pedaço de bolo.

Caminhamos até os jardins do Pavilion com nossos sorvetes e rimos muito quando alguns esquilos resolvem roubar a comida de um grupo de crianças alemãs que estão tentando almoçar durante uma excursão.

Depois andamos pela Lanes, e aponto as joalherias que vendem antiguidades, então nos encantamos com anéis art déco e com os colares de pérolas e diamantes da década de 50. Escolhemos nossos anéis de noivado (embora estejamos anos longe disso), e, quando a brincadeira perde a graça, vamos até a doceria e compramos anéis de gelatina.

— A loja da minha mãe fica logo depois da esquina — digo. — Ela está ansiosa para te conhecer. Me desculpa se ela for um pouco... animada demais.

Posey ri.

— Eu entendo as mães animadas, pode acreditar!

Quando chegamos a Felizes para Sempre, Posey fica impressionada com a vitrine. Esta semana, o tema é a dádiva da colheita, e tudo é em tons de bronze, vermelho e dourado, como as folhas de outono. O vestido na vitrine é de seda vermelha e tem mangas longas, um estilo parecido com o que Maid Marian certamente usava na Idade Média. Aos pés dele tem uma cesta com dezenas de maçãs transbordando e uma cornucópia de junco cheia de delícias outonais: castanhas marrons e brilhantes, folhas de carvalho secas e alaranjadas e todo tipo de abóboras e cabaças.

— Essa é a loja da sua mãe? É maravilhosa!

— Ah, obrigada! Você deve ser a Posey! — diz minha mãe, abrindo a porta para uma cliente que está saindo e nos convidando a entrar. — Até mais tarde, Chantal! — Ela acena para a mulher, que se afasta. — Venham, meninas — continua, voltando sua atenção para nós.

Sempre gosto muito de vir à loja da minha mãe. Ela é uma cornucópia por si só, repleta até a borda de produtos e coisas brilhantes. Posey e eu damos uma volta por lá, enquanto minha mãe mostra alguns objetos de decoração interessantes e conta a história por trás deles.

— Ah — ela diz ao encontrar um enorme arranjo de cabeça adornado com penas pretas e vermelhas. — Usei isso quando estava em Paris. Sempre que alguém quer um tema Moulin Rouge, eu mostro isso...

— A Penny me contou que você foi atriz em Paris nos anos 80. Como era? — Posey pergunta.

— Ah, Montmartre... foi nesse tempo — ela responde com ar sonhador. — Era uma Paris diferente, e eu me sentia muito boêmia. Não dizíamos que éramos atores. Éramos trovadores, e nos sentíamos tão confortáveis atuando nas ruas quanto no palco.

— Parece um sonho — diz Posey.

— A Posey estuda música e teatro na Madame Laplage, como a Megan — conto. — Ela é protagonista na produção de *West Side Story*.

Minha mãe une as mãos com um estalo.

— Isso é maravilhoso! Quero saber tudo sobre a produção. Vão apresentar a versão clássica do espetáculo?

— É a versão clássica, mas resumida. Infelizmente.

Minha mãe leva as mãos à testa, fingindo uma vertigem dramática.

— Resumida! O pior pesadelo de um escritor!

— É verdade — Posey concorda com tristeza. — Mas ainda assim é um bom espetáculo. Ou será, quando a Megan assumir o papel principal.

— Como é que é? — Minha mãe estranha.

Posey baixa a cabeça, e eu toco seu ombro.

— A Posey tem um terrível medo de palco — conto —, e achei que talvez ajudasse se você conversasse com ela.

— Ah, sim. Eu ficava tão nervosa que costumava vomitar antes de uma apresentação. Posso ensinar alguns truques de respiração, se quiser. Acabei desistindo de ser atriz — minha mãe revela, um pouco melancólica. Percebo que isso não está ajudando Posey, por isso olho para ela com uma expressão suplicante. Ela assente. — Mas, querida, muitos atores têm esse medo e continuam atuando! Na França eles chamam isso de *avoir le trac*. Lembro de uma das minhas melhores amigas nessa época, a Éloïse. Ela sofreu muito com esse tipo de medo até que aprendeu a imaginar a plateia toda pelada...

Posey estremece.

— Acho que não quero imaginar todo mundo da minha sala pelado. Isso é meio errado.

— Hum, sim... Talvez não seja o caminho mais apropriado. Olha só, acho que vou escrever para a Éloïse e pedir para ela te dar algumas dicas.

— Obrigada, sra. Porter — Posey responde, educada. Percebo que qualquer esperança de a minha amiga contar com a ajuda da minha mãe simplesmente desapareceu. Ela precisa falar com alguém que superou o medo e seguiu atuando.

— Obrigada, mãe. Vou levar a Posey para casa. A gente se vê no jantar?

— Sim — ela responde. — Espero que goste de espaguete à bolonhesa.

— Eu adoro — diz Posey.

Damos uma última volta na Lanes antes de entrarmos no ônibus.

— Lamento que a conversa com a minha mãe não tenha sido muito útil — falo.

Posey sorri.

— Eu lido com isso há tanto tempo que não espero uma solução fácil. Não se preocupe, Penny, não vim aqui só por causa disso. Estou me divertindo muito.

— Eu também — concordo, retribuindo o sorriso. Mas não vou desistir. — Tenho outra ideia. Eu mantenho um blog há algum tempo. Sempre que tenho um problema, eu posto no blog e recebo ótimos conselhos. Posso pedir ajuda aos meus leitores?

Ela dá de ombros.

— Pode funcionar. Mas, sinceramente, duvido que exista uma "cura" ou um "método" que eu já não tenha encontrado no Google.

— Eu sei, mas não custa tentar, não é?

— Sim. Qual é o blog?

— O *Garota Online*. Eu comecei como anônima, mas depois, quando aconteceu toda aquela história com o Noah, as pessoas descobriram quem eu era. Foi bom. Algumas pessoas que eu conheci pelo blog se tornaram grandes amigos, embora a gente nunca tenha se encontrado!

— Ah, ter um blog exige muita coragem. Muita gente na escola escreve também, mas eu não consigo nem pensar nisso. Acho que não sou o tipo que escreve.

— Não, você é o tipo que canta! — respondo, rindo.

Descemos do ônibus, andamos até minha casa e subimos a escada.

— Uau, seu quarto é incrível! — Posey exclama ao entrar no meu espaço no sótão.

— Obrigada! Eu também adoro. É meio parecido com a Tardis.

— Como assim?

— Ah, tem todos esses cantinhos escondidos, e meu melhor amigo está no quarto do outro lado dessa parede. Parece pequeno, mas tem mais espaço aqui do que você imagina.

— Você tem muita sorte. Eu tive que dividir um quarto com a minha irmã até ir para a Madame Laplage. Eu não queria ir embora de lá — ela diz baixinho.

Abro a boca para dizer alguma coisa, mas Posey grita:

— Ai, meu Deus! Você conhece a Leah Brown?

Ela está olhando para o espelho, onde mantenho a capa do álbum de Leah com minha foto. Ela autografou a capa.

Para Penny, que viu meu verdadeiro eu. Muito amor, Leah.

— Sim — respondo com um sorriso acanhado. — Essa foto dela eu tirei em Roma.

— Mentira! Esse não é o álbum novo? *Você fez a capa?* — Posey exclama, ofegante. — Uau, que sorte. Ela é, tipo, um dos meus ídolos.

— Ela é ótima — concordo, rindo. — E, sim, foi bem estranho isso ter acontecido!

A tarde passa em um turbilhão de risadas e histórias. Minha mãe interroga Posey sobre a situação atual do teatro e nos diverte com histórias de seus dias em Paris. Aprendi mais sobre ela aos dezoito anos do que jamais soube em minha vida inteira, e não sei se estava preparada para isso.

Depois que deixamos Posey na estação e nos despedimos com acenos, reconhecemos que queríamos que ela ficasse mais tempo. Olho para minha mãe.

— Acha que ela vai ficar bem?

— Não sei — ela responde com um suspiro. — Conheci algumas atrizes que deixaram o medo do palco acabar com a carreira delas. A Éloïse conseguiu superar esse medo, mas não sei como. Acho que é algo que tem que vir lá de dentro. Não existe uma solução fácil.

Quando volto ao meu quarto, escrevo um post para o *Garota Online.*

26 de setembro

Garota Online Pede Ajuda: Medo de Palco?

Sabe quando a pessoa pergunta e diz "é para um amigo", mas na verdade é para ela mesma? Pois é, não é o caso. Estou realmente perguntando porque uma amiga quer saber. Uma amiga nova, na verdade, que trouxe muita coisa boa para a minha semana. Não é uma delícia quando a gente conhece alguém e surge uma afinidade logo de cara? Adoro essas primeiras semanas de mensagens constantes, aprender os detalhes sobre alguém e construir uma amizade que você sabe que vai ser sólida. Parece que a sua vida e a vida da outra pessoa se encaixam, e você se pergunta como conseguiu viver tanto tempo sem ela. Como se essa pessoa sempre tivesse feito parte da sua turma de garotas, mas você ainda não soubesse. Essa é a sensação que tenho tido desde que conheci a Gênio Musical.

Agora, tem uma coisa sobre a GM. Ela conseguiu o papel principal em uma produção do colégio (muitas palmas), mas tem medo de palco. Eu tenho ansiedade, mas medo de palco é algo com que não consigo me identificar totalmente. A menos, é claro, que a gente considere a última vez que estive no palco e mostrei minha pior calcinha para todo mundo na plateia. Sejamos sinceros, isso é suficiente para deixar *qualquer pessoa* com medo. Quero dar a ela o conselho de que precisa para se sentir melhor com tudo isso, mas estou com dificuldades. Não sei como é viver amando tanto fazer uma coisa, mas sentir que, por mais que você tente, não consegue se entregar inteiramente a isso. Ela descreve a situação como se estivesse no palco, olhando para a plateia e pronta para cantar, mas, na hora H, a língua desaparece da boca. O pânico cresce quando ela percebe que não está emitindo nenhum som, e de repente ela fica paralisada, e a plateia se transforma em um bando de leões mostrando os dentes afiados em câmera lenta.

Adoraria saber se alguém aí sofre de medo de palco e, se sim, como vocês superam esse medo. Por favor, mandem dicas que eu possa dar à minha amiga. Também acho que seria muito útil para outros leitores. Não posso deixar a GM abrir mão de uma coisa que eu sei que é o seu grande sonho, só porque a sua mente não ajuda justo no momento em que ela mais precisa.

Garota Online, saindo do ar xxx

Quase instantaneamente, recebo uma mensagem direta no Twitter da Garota Pégaso.

Oi, Penny. Acabei de ler seu último post no feed do meu blog... Já falou com a Leah Brown sobre como ela superou o medo de palco? Xx

Levanto as sobrancelhas numa reação surpresa. A Leah?

Não! Eu nem sabia que ela já teve medo de palco!

Ah, teve! Eu li sobre isso na entrevista que ela deu pra *Teen Vogue*. Ela não falou muitos detalhes, mas deu pra perceber que foi sério.

Penso em como o rosto de Posey se iluminou quando ela viu a capa do álbum da Leah Brown no meu quarto e descobriu que eu a conhecia. E se ela — só *a* maior estrela pop do momento — também teve que enfrentar o medo de palco, talvez haja alguma coisa que eu possa fazer para ajudar.

De: Penny Porter
Para: Leah Brown

Leah!!

Espero que esteja bem. Vi as fotos no Instagram da sua viagem à Austrália — ficaram incríveis. Muita inveja?!

As coisas continuam como antes, tudo igual (sem notícias do Noah, imagino que você também não saiba nada?), mas tenho um favor para te pedir... Eu conheci uma amiga que está estudando para atuar no teatro musical. Ela tem uma voz maravilhosa, mas também tem um tremendo medo de palco. Ouvi dizer que você enfrentou um problema parecido... Será que pode dar alguma dica para ela?

Te amo, bj

Pen xx

13

Quando acordo de manhã, viro de bruços e pegou o celular em cima do criado-mudo, onde o deixei carregando. Parece que a noite foi agitada. Tem uma mensagem da Megan que diz apenas "liga pra mim", uma tonelada de notificações de comentários no *Garota Online*, e também uma resposta da Leah para o meu e-mail. Ela está várias horas atrás de nós em Los Angeles, por isso deve ter tido tempo para responder durante a noite. Abro primeiro o e-mail.

De: Leah Brown
Para: Penny Porter

Oi!! Que bom ter notícias suas! Não sei nada sobre o N, infelizmente ☺

Na verdade, posso fazer mais do que dar algumas dicas. Vou estar em Londres no sábado, gravando com um dos meus produtores favoritos. Por que não aparece lá com a sua amiga? Vai ser ótimo te ver e ajudar, se eu puder.

L xxx

Isso é melhor do que eu tinha imaginado. Viro para o outro lado na cama e bato cinco vezes na parede que divido com o quarto de Elliot, parte do nosso código para quando queremos a atenção um do outro. Funciona melhor que uma mensagem de texto. Ele não responde imediatamente, e eu bato de novo, desta vez com mais força. Finalmente, ouço duas batidas preguiçosas de volta. Olho que horas são. Dez da manhã. Não é cedo demais para acordar meu amigo, mas sei que ele pode estar de mau humor.

Visto meu roupão felpudo e confortável, prendo o cabelo num coque e escrevo uma resposta para Leah.

De: Penny Porter
Para: Leah Brown

Simmm! Mal posso esperar pra te ver. E muito, muito obrigada por isso. E tão em cima da hora. Já falei que você é demais?

P x

Tenho que falar com outra pessoa. Abro o WhatsApp, vejo que ela está online e mando uma mensagem.

Posey, oi!

Oi, Penny! Que estranho... eu estava pensando em você.

Na verdade, quero te perguntar uma coisa. Tem algum compromisso marcado pra sábado, dez da manhã?

Ah... agora fiquei preocupada! Mas não, não tenho! Tenho ensaio à tarde, mas de manhã estou livre. Por quê?!?

Você vai achar que é loucura, mas é surpresa. Acho que encontrei alguém que pode te ajudar de verdade a lidar com o medo de palco. Você me encontra na Estação Victoria às dez da manhã de sábado?

Penny... é muito legal querer me ajudar, mas já tentei praticamente de tudo pra superar o medo. Talvez seja melhor eu aceitar que essa é a minha realidade. Não consigo, nunca vou conseguir

Faço uma pausa, sem saber como responder. Reconheço nas palavras dela todos os sentimentos familiares que experimento quando sou dominada pela ansiedade — a ideia de que nada vai mudar, e que nunca vou ter uma vida normal por causa disso. Para Posey, sei que deve ser ainda pior, porque as coisas que ela mais ama fazer também são a fonte de sua maior ansiedade. Mas, se a terapia me ensinou alguma coisa, é que sempre vale a pena tentar.

Talvez você esteja certa. Mas, se quiser tentar, pode ir me encontrar?

Desta vez a pausa foi do lado dela, e fico olhando para o *digitando...* que aparece embaixo do nome dela, esperando a resposta aparecer.

Tudo bem, vamos lá. Não pode ficar pior, não é?

:D Oba! A gente se vê lá, então

— Qual é a grande novidade? — Elliot está parado na porta do meu quarto. Ele também está de roupão e chinelos, com os olhos vermelhos e o cabelo todo espetado. Meu amigo raramente deixa que alguém o veja nesse estado, mas é muito fofo. Ele se joga na ponta da minha cama.

— A Leah vai estar em Londres na semana que vem! A Garota Pégaso me falou que a Leah já teve medo de palco, e eu vou levar a Posey para conhecê-la.

— Só você tem uma estrela do pop famosa pronta para ajudar num estalar de dedos — ele comenta com uma piscada. — O que a Megan acha de tudo isso?

Franzo a testa.

— Como assim?

— Bom, ela vai te matar, se souber que você vai apresentar a Leah Brown para alguém antes dela.

Levanto as sobrancelhas.

— Isso é... — Penso na mensagem seca: "Liga pra mim". Mas ela não tem como saber que eu marquei um encontro com a Leah. Deve ser outra coisa. — E se eu a convidar para ir também? Ela não vai me odiar.

Elliot torce o nariz.

— É verdade. A Megan está longe de ser a minha pessoa favorita...

— Muito longe.

— Mas ela não é burra. Ela vai ficar tão feliz por conhecer a LB que pode perdoar qualquer coisa. Quer dizer, conhecendo a Megan, a gente sabe que ela pode transformar toda essa história em um projeto de caridade *dela*, mas quem se importa?

— Ufa, legal. Agora me sinto melhor.

— Mas é melhor contar para ela antes que saiba pelas fofocas. Vou descer para ver se o seu pai ainda faz panquecas de domingo para nós. Sou como a Linda Evangelista... Não vale a pena sair da cama por menos que cinco panquecas empilhadas com calda. Além do mais, não arrumei meu cabelo e me sinto horrível. Só panquecas vão fazer isso valer a pena.

— Acho que para as supermodelos dos anos 90 eram dez mil dólares...

— As panquecas do seu pai têm o mesmo valor. — Elliot pula da cama e desce.

Tenho um mau pressentimento com relação à mensagem de Megan, mas tento não presumir demais antes de falar com ela. Toco o ícone do FaceTime embaixo da página de contato dela no meu celular.

Ela atende depois de alguns toques. Já está maquiada e penteada, com o cabelo emoldurando o rosto em ondas brilhantes e esculpidas. Comparada a mim, descabelada e sem maquiagem, ela está definitivamente glamorosa para uma manhã de domingo. A única coisa que estraga um pouco sua aparência é a expressão emburrada. Meu estômago dá um pulinho. Talvez meu pressentimento não estivesse tão errado.

— Penny — ela diz, a boca formando uma linha firme.

— Oi, Megan. — Tento manter um tom leve. — E aí? Recebi sua mensagem.

— Sei. Que história é aquela no seu blog?

— No meu blog?

— É, sobre medo de palco. O que é aquilo?

— Ah. — Faço uma pausa breve. Tecnicamente, não contei a Megan sobre o encontro com Posey, pois não houve oportunidade para isso. Não queria esconder dela, mas também não tive pressa para contar. — Quando estive aí, eu conheci uma garota chamada Posey...

— Sei, Posey Chang, a garota que ficou com o papel principal.

— Isso... Ela estava muito nervosa, e conversamos sobre ansiedade. Acabamos nos aproximando, e eu pensei que posso tentar ajudá-la.

— Qual é, agora está tentando *acabar* com a minha vida?

Franzo a testa.

— Não. Eu só...

— Só está tentando garantir que a pessoa de quem *eu* sou a substituta não desista do papel que é meu por direito?

— Bem, não é seu por direito se...

Megan me atropela.

— Qual é a sua? Pensei que fosse minha amiga.

— Eu sou sua amiga, Megan, mas agora também sou amiga da Posey. Aliás, tem uma coisa que quero te perguntar.

— Fala. — Ela revira os olhos.

— É sobre a Leah Brown. Ela vai estar em Londres no próximo sábado e quer me encontrar no estúdio. Disse que eu podia levar algumas amigas, então...

Como uma nuvem negra que se dissipa para revelar um sol radiante, um sorriso enorme surge no rosto de Megan.

— Posso ir? Sério?

Não consigo conter a risada diante da mudança de atitude.

— Se não estiver me ignorando, pode.

— Ah, meu Deus, Penny, já perdoei tudo! Prometo!

— Não prometa nada ainda. Também convidei a Posey. Tudo bem?

As nuvens passam pelo rosto de Megan de novo, a raiva como um raio iluminando seus olhos, mas tudo desaparece em seguida. Eu pisco, e ela está serena outra vez.

— Você é legal demais — ela diz com a voz melada. — Mas espera, sábado você não vai sair com o Callum?

— Acho que sim — respondo, e um rubor tinge meu rosto. Eu tinha me esquecido disso por alguns minutos. — Mas é só à tarde. Tenho a manhã livre. Eu ia encontrar a Posey às dez horas.

— É claro que você vai sair com o Callum, Penny. Por que não me passa o endereço do estúdio da Leah? Eu levo a Posey e a gente se encontra lá.

— Tudo bem. Mas não esquece, é uma surpresa para a Posey, não conta para ela aonde vamos.

— Genial! Mal posso esperar pelo sábado. Ai, meu Deus, que roupa a gente põe para conhecer um ídolo? Preciso comprar alguma coisa. Você é demais, srta. P. — E desliga.

Desço a escada ainda meio atordoada.

— Como foi? — Elliot pergunta, com a boca cheia de panqueca.

Pisco algumas vezes.

— Na verdade, não faço ideia. Mas acho que consegui deixar todo mundo feliz.

Elliot crava em mim seu olhar mais adulto por trás das lentes dos óculos de armação de tartaruga.

— Penny, você sabe que isso é impossível.

— Eu sei. Mesmo assim, tenho que tentar. É mais forte do que eu.

14

O dia passa num piscar de olhos, um furacão de trabalhos escolares, conversas com Posey e refeições com Bella e Sadie Lee. Desde que esse ano letivo começou, minha carga de tarefas parece ter aumentado muito. Nem a pressão das notas da conclusão de curso se compara à iminência da avaliação de rendimento para o ingresso na faculdade. Mas abraço a distração com vontade. Se não estava nervosa quando respondi à mensagem de Callum, pensar em sair com ele me faz quase surtar. Além do mais, quero que tudo corra bem com Leah Brown, Posey e Megan.

Depois de muito debater com Elliot sobre o que vestir para ir a Londres, escolhi uma blusa de listras pretas e brancas com minha jardineira jeans preta e a velha jaqueta de couro da minha mãe. Deixo meu cabelo castanho-avermelhado e comprido solto sobre os ombros, prendendo apenas algumas mechas na frente para não ficar irritada com elas caindo nos olhos. Uso o mínimo de maquiagem, mas escolhi um batom vermelho-mate para dar um discreto toque de glamour.

— É só um encontro à tarde, meu amor, não é uma noitada chique — diz Elliot, balançando as mãos na minha direção.

Pintei as unhas de coral. Mas, no fim da viagem de trem, já me arrependi disso e descasquei quase todo o esmalte.

Continuo olhando o celular no táxi, relendo minha conversa com Posey no WhatsApp. Ela não para de tentar entender o que estou tramando.

PENNY! Acabei de pesquisar no Google o endereço aonde vamos, e é um estúdio de gravação?! O que eu vou fazer lá?

Espera, como descobriu?

Vi o endereço no celular da Megan. Ah, não sei se consigo continuar com isso!

É claro que consegue!

Bom, não tenho escolha... Estamos quase chegando. Até daqui a pouco?

Até já!

Respiro aliviada por Posey não ter desistido.

— Chegamos, meu bem — diz o motorista do Uber. Minha mãe havia atrelado o número do cartão de débito dela ao aplicativo do meu celular, porque ela não queria que eu me perdesse pelas ruas de Londres. Agradeço ao motorista e desço do carro em uma avenida de três faixas. O lugar é estranhamente silencioso e arborizado, afastado das principais ruas de Londres, e a única coisa que destoa ali é uma limusine preta estacionada um pouco mais adiante na rua. Provavelmente, o transporte da Leah. Quem ainda anda de limusine? Acho que, se alguém ainda tem esse hábito, esse alguém é ela.

Olho para os dois lados da rua, mas não vejo nem sinal de Megan e Posey. Fico encostada em uma mureta de pedras, aproveitando o sol morno de outono em meu rosto.

— Penny! Você chegou! — Megan aparece na esquina acompanhada de Posey. Posey está de óculos escuros e chapéu-panamá, que ela usa bem baixo sobre os olhos. Megan veio superproduzida, de minivestido justo e botas de salto. Ela parece ter se vestido para ir a uma boate, não a um estúdio de gravação.

— Oi, gente! — Aceno para elas. Quando se aproximam o suficiente, abraço as duas. — Preparadas? — pergunto.

Posey levanta os óculos escuros.

— Não sei! Vamos ver — diz. Ela olha por cima do meu ombro para a porta do estúdio, e eu também viro para olhar para lá. Na verdade, o lugar parece uma casa londrina comum. Ou melhor, uma mansão londrina, pois é uma edificação branca de três andares, resguardada por um portão de ferro preto com um elegante acabamento dourado. A única indicação de que ali funciona um estúdio de gravação de primeira é a plaquinha de vidro com a inscrição OCTAVE STUDIOS sobre o botão da campainha em uma das colunas do portão.

Aperto o botão e me identifico para a voz metálica que atende:

— Penny Porter e amigas. Estão nos aguardando.

O portão se abre, e nós passamos por ele e subimos a escada para a entrada principal. A porta da frente também se abre. Somos recebidas por uma garota que não parece ser muito mais velha que nós, embora seja *muito* mais descolada, de jaqueta de couro, regata preta e jeans. Megan puxa a bainha do vestido de um jeito nervoso.

— Oi, você é a Penny? — a menina pergunta para mim. Respondo que sim, balançando a cabeça. — Ótimo. Eu sou Alice. Recepcionista aqui no Octave. Ela está te esperando, mas entrou no estúdio para checar os equipamentos. Pode entrar. É só descer a escada e seguir o corredor. Não tem como errar.

— Obrigada — respondo, torcendo para meu sorriso me fazer parecer mais confiante do que realmente me sinto.

— Espera, vamos encontrar alguém aqui? — Posey pergunta, o entusiasmo transparecendo em suas palavras.

— Talvez. — Não consigo evitar o sorrisinho que surge em meu rosto. Houve um tempo em que pensar em encontrar Leah Brown pessoalmente me fazia tremer, mas agora só quero pular de alegria. Embora ela esteja sempre muito ocupada, tornou-se uma grande amiga desde a turnê. Ela vive em outro mundo, mas nunca se considera importante demais para descer à Terra de vez em quando.

A escada que dá acesso à área principal do estúdio tem paredes enfeitadas por rostos famosos, incluindo o de Leah em uma linda foto em preto e branco. Tento não olhar muito para ela para não dar nenhuma dica.

Quando chegamos ao fim da escada, reconheço a assistente pessoal de Leah, Talia, que me cumprimenta com dois beijos no rosto.

— Oi, linda! — ela diz. Eu já tinha avisado que a visita seria uma surpresa, e ela pisca para mim. — Por aqui.

Seguro a mão de Posey para ela ser a primeira pessoa a ver tudo aquilo.

Entramos no estúdio, e lá, atrás do vidro, cantando com empolgação, está Leah Brown.

— Men-tira — Posey cochicha comigo. De repente, a mão dela aperta a minha com tanta força que perco a sensibilidade nos dedos.

Leah está linda, como sempre. Ela não se esforçou quase nada (porque nos dias de gravação não precisa se preocupar com a aparência, só com a música), só prendeu os cabelos loiros e longos em um coque despojado que, ainda assim, é digno do Instagram.

Assim que a vê, Megan dá um grito de estourar os tímpanos e passa os braços em torno do meu pescoço.

— Isso é incrível! Está acontecendo mesmo? Leah Brown!

— Sim, é ela! — confirmo, rindo. Megan e Posey pulam no lugar, e tenho um ataque de riso.

A comoção atrai o olhar de Leah, que está terminando o aquecimento e acena para nós. Em seguida ela tira os fones de ouvido e se dirige à porta à prova de som para vir ao nosso encontro.

— Ai, meu Deus, posso postar no Snapchat? — Megan me pergunta.

Antes que eu possa responder, Talia interfere:

— Nada de mídia social dentro do estúdio. Na verdade, não pode fotografar nem filmar. Normalmente recolheríamos os celulares, mas...

— Não é necessário. Somos todas amigas, não é? — Leah comenta ao se aproximar de nós. — As amigas da Penny são minhas também.

— Leah! Que bom te ver!

— Bom te ver também, Penny!

Nós nos abraçamos.

— Essas são Posey e Megan, minhas amigas que estudam na Escola de Artes Madame Laplage.

— É um prazer conhecer vocês! — Ela também abraça cada uma delas, embora as duas estejam paralisadas pelo choque. Leah está acostumada a provocar esse tipo de efeito nas pessoas. — Uau, Madame Laplage. Conheço alguns cantores que estudaram lá. Que excelente oportunidade!

— Ah, é maravilhoso — diz Megan, se recuperando do abraço mais depressa que Posey e jogando os cabelos castanhos para trás. — Lá a gente tem um treinamento vocal *sério* que nos prepara para a carreira toda.

Uma pequena ruga surge na testa de Leah. Meu queixo quase cai diante da grosseria de Megan. Ela está criticando a voz de Leah, dois segundos após tê-la conhecido?

Mas a ruga desaparece antes que Megan possa notá-la, e o sorriso de Leah retorna. Ela olha para Posey, que está tremendo. Leah segura as mãos dela e a leva para um dos sofás. Leah se senta sobre as pernas cruzadas. Posey a segue, e vejo a tensão em seus ombros diminuir. Fico admirada com a capacidade de Leah de fazer alguém se sentir à vontade sem precisar dizer sequer uma palavra.

— Então, Posey, ouvi dizer que você tem problemas relacionados ao medo de palco? — Leah vai direto ao ponto.

Posey olha para mim, assustada.

— Você falou sobre o meu medo de palco para a *Leah Brown*?

Assinto.

— Eu...

— Ela me contou — Leah continua antes que eu possa dizer mais alguma coisa — porque sabe que eu posso ajudar. Também passei por isso.

Posey pisca.

— Ah, é?

Leah confirma, balançando a cabeça.

— Sim. Mas, antes de falarmos sobre isso, queria muito ouvir você cantar. Por favor?

— Ah, não... eu não consigo. Não posso! Sou sua fã e...

Leah balança a mão como se isso não fosse importante.

— Não, nada disso. Cantar para um pequeno grupo faz você sentir medo?

Posey torce as mãos, e as pulseiras em seus braços tilintam.

— Normalmente não. É só no palco e para grandes plateias...

Leah assente como se a entendesse.

— Eu compreendo. A cabine de gravação é tão escura que você até esquece que está lá. O vidro tem um revestimento que é transparente só de um lado. Canta pra mim?

Posey pensa por um instante, depois diz:

— Tudo bem.

Leah aplaude.

— Ótimo! Já entrou em uma sala de gravação antes?

Posey balança a cabeça.

— Ah, não se preocupe, é simples. Entra lá, fica à vontade diante do microfone, pode sentar no banquinho ou ficar em pé, como preferir, e põe os fones de ouvido. Depois, tem um botão lateral que você pode usar para se comunicar com a gente na sala de controle, e vice-versa. Pode começar quando estiver pronta.

— Certo. — Posey morde o lábio. Ela se levanta devagar e caminha insegura para a outra parte do estúdio. Meus olhos a seguem. Ela entra e afasta o banquinho para o lado. Quando vê o microfone, seus olhos se iluminam.

— Ela parece que nasceu para isso — diz Leah. — Puxem uma cadeira para perto do console de mixagem, vocês duas.

Megan e eu puxamos cadeiras ergonômicas de rodinhas de um canto da sala para perto do imenso console de mixagem, uma prancha levemente inclinada com milhões de botões. De repente, fico feliz por minha câmera ter só alguns botões, porque até esses já são bem complicados.

— Impressionante, não é? — diz Leah, enquanto olho para as fileiras e fileiras de controles.

— Nem me fala!

— Temos três desses no porão da Madame Laplage — conta Megan. — São *top* de linha, foram doados por um ex-aluno.

— Ah, vocês têm muita sorte. Eu só conheci uma belezinha como esta quando assinei contrato com a Sony! Antes disso, só gravava no meu quarto. E, quando se tem três irmãos mais novos, nenhuma parte da casa é à prova de som.

Ouvimos um apito curto, depois uma voz quase inaudível pelos alto-falantes.

— Acho que estou pronta — diz Posey.

Leah aperta um dos botões na mesa de mixagem.

— Legal!

Todas nós olhamos para Posey através do vidro, mas ela não está olhando para nós. Na verdade, está de olhos fechados, balançando a cabeça ao som da música nos fones. Então, de repente, ela começa a cantar o trecho de Maria em "Tonight", de *West Side Story*.

Quando sua incrível voz de soprano invade a sala, nós três nos reclinamos na cadeira, impressionadas e arrepiadas com seu talento.

E, quando a canção termina, Leah Brown pula da cadeira e aplaude Posey de pé.

15

Quando Posey volta à sala de controle, seu rosto brilha com o rubor de cantar uma canção tão difícil.

— Obrigada, gente — ela diz enquanto a aplaudimos. Até Megan se junta a nós, incapaz de disfarçar o reconhecimento.

— Foi incrível! — diz Leah. — Garota, você tem talento de verdade!

— Obrigada — repete Posey, cabisbaixa. — Mas não vai me servir de nada. Ali naquela sala, só com vocês olhando... não tenho medo disso. Mas basta eu subir no palco, e a história muda.

— Boa sorte para atuar *de verdade*, então — Megan resmunga baixinho, mas eu escuto e olho para ela com ar sério. Megan revira os olhos e cruza os braços. É evidente que está roxa de inveja.

— Conta para mim o que acontece — Leah diz, com voz calma. Felizmente, ela não ouviu o comentário da Megan.

Posey senta no sofá e cruza os tornozelos. Nunca conheci ninguém capaz de se sentar e ficar em pé com uma postura tão incrível, tão perfeitamente ereta. Esse controle também é evidente quando ela canta. Até eu, com meu ouvido destreinado, consigo perceber que ela executa cada nota com facilidade e precisão.

— É tipo... quando eu saio da segurança das cortinas, eu não estou indo para o palco em direção à plateia. Eu estou andando em uma prancha estreita sobre águas infestadas de tubarões. Cada passo que eu dou enfraquece os meus músculos, até eu mal conseguir continuar em pé. Meus dedos formigam, a boca fica seca... mesmo que eu tenha bebido um monte de água nos bastidores. E depois vem o pior: o branco. Todos os ensaios, todas as horas decorando cada palavra e cada nota, cada ritmo e cada movimento... tudo desaparece. Em um estalar de dedos. — Ela estala os dela para enfatizar o que diz. — E, depois disso, não consigo mais me recuperar.

Leah balança a cabeça com empatia durante toda a descrição que Posey faz.

— Sim, sim e sim. Eu já passei por tudo isso.

— Tem mais — Posey sussurra tão baixo que tenho que me inclinar para ouvir. — No começo do verão, eu representava a Sandy na produção de *Grease* no colégio. Mas na noite de estreia eu não consegui atuar. Simplesmente paralisei na frente de *todo mundo*. A pior parte foram as minhas pernas, que ficaram tão pesadas que eu não conseguia sair do palco e alguém teve que entrar e praticamente me arrastar para fora e mandar minha substituta entrar. E ela já estava com o figurino de uma das Pink Ladies. Foi horrível, eu estraguei tudo. — Lágrimas inundam seus olhos enquanto ela fala, e não consigo evitar, sinto meus olhos arderem também. — Eu devia ter desistido ali mesmo e recusado a vaga na Madame Laplage.

— Ah, eu desisti de um papel na Broadway uma vez pelo mesmo motivo. Depois ganhei um Tony. Teria sido uma experiência incrível, e me arrependo dessa decisão todos os dias. Sinceramente, eu sei como você se sente — diz Leah.

— Mas você sobe no palco e canta para milhares de pessoas o tempo todo! Está fazendo uma turnê! Aposto que agora não tem mais medo de palco.

— Infelizmente, não é assim que acontece. Todas as vezes tenho que me controlar. Todas as vezes tenho que me lembrar de que *eu* estou no controle, não o meu medo. E Posey?

— Sim?

— Você nasceu para isso. Sei que tem uma paixão aí dentro queimando tão forte quanto o medo. Talvez até mais forte ou você nem teria feito a audição na Madame Laplage. Você *pode* fazer isso. Você *precisa* fazer isso, para o seu próprio bem. Você pode achar que subir no palco é loucura. Mas não é. *Não* estar no palco, *não* se apresentar, *isso* é que é loucura. Plante a semente da confiança dentro de você, se agarre a ela com todas as suas forças, e com o tempo ela vai crescer e crescer até se tornar uma árvore enorme que vai te preencher inteira com esse sentimento. Não estou dizendo que o medo de palco vai desaparecer completamente. Mas sob o abrigo dessa árvore você vai ter a ajuda de que precisa nos momentos mais turbulentos.

— Tem certeza? — Posey pergunta, ofegante.

— Absoluta.

— Não acredito nem que a maravilhosa Leah Brown tenha medo de palco — diz Posey, sorrindo pela primeira vez desde que terminou de cantar.

— Ah, você se surpreenderia! Quando falei sobre isso em público, recebi muitas mensagens de artistas que você nem sonha que podem ter medo de palco. Alguns dos cantores e atores mais famosos do mundo. No nosso caso, e sei que pode não ser assim com outros tipos de ansiedade, o único jeito de superar é enfrentando. Não dá para fingir que o medo não existe, mas dá para controlar. Você *precisa* aceitar tudo isso. Usar tudo isso. Você consegue. Eu garanto.

Posey assente, mas vejo que não está completamente convencida. Sinto por ela. Odiaria estar em seu lugar, porque sei que não existe a menor possibilidade de enfrentar minha ansiedade. Quando ela aparece, é como uma onda que tenho que surfar, e (quase sempre) consigo escapar de qualquer plateia que eu possa ter. Para Posey, não tem como fugir. Mas tem o talento dela. Só espero que ela possa cultivar essa árvore de confiança dentro de si rapidamente, para que ela não murche e morra sem ter nenhuma chance.

— Quer cantar mais? — Leah pergunta a Posey.

Os olhos dela se iluminam.

— Sim, eu adoraria!

— Ótimo! Vamos fazer um dueto. Conhece "For Good", de *Wicked*?

— É claro! — Posey pula do sofá. — Eu adoro esse musical.

— Eu também! Depois, se vocês quiserem, seria um prazer tocar alguma coisa do meu novo álbum, *Top Secret* — Leah pisca.

— Ah, vai ser demais! — eu falo. — Você se incomoda se eu tirar algumas fotos por aí?

— Vá em frente.

Quando as duas entram no estúdio, Megan vira a cadeira para mim.

— Acha mesmo que vai ser tão fácil para a Posey?

— Como assim?

— Uma sessão com a grande Leah Brown, e ela vai estar — Megan levanta os dedos para desenhar aspas no ar ao dizer a palavra seguinte — *curada*?

Balanço a cabeça.

— Não acho nada disso. Mas acredito que a Posey tem alguma coisa especial que quer dividir com o mundo, e o medo de palco não vai impedi-la. Seja nessa apresentação ou em outra, ela vai conseguir. Só acho que ela não deve perder a esperança.

Megan bufa.

— Talvez.

— Ei, por que você está tão azeda em relação a tudo isso? Não disse que queria ajudar?

Megan dá de ombros.

— Não tem como ajudar uma causa perdida.

Ranjo os dentes.

— Tudo bem, então vou dar uma volta por aí. Acho que a luz lá fora é melhor para uma foto. Me avisa quando a Leah começar a cantar alguma coisa do disco novo?

— É claro.

Assim que saio da sala de gravação, respiro aliviada. Ficar perto da Megan de mau humor é uma tortura. Subo a escada de novo e vou em direção ao hall iluminado que vi ao entrar. Não vejo Alice por ali, mas isso é bom, porque tenho um momento para olhar tudo de verdade.

O que mais me atrai são as enormes claraboias. Elas inundam o espaço de luz, criando uma impressão incrivelmente arejada. As paredes brancas — que poderiam ter um aspecto meio clínico — são aquecidas por muitas samambaias penduradas, as folhas longas e verdes envolvendo grandes vasos de cobre.

Monto meu tripé no meio da sala, de frente para dois sofás brancos e baixos. Tem uma trilha de sol no chão formando um paralelogramo perfeito diante deles. Mordo o lábio. Não sei se a iluminação vai funcionar — pode ser um pouco dura demais para a pele de Leah e Posey, com tantas superfícies reflexivas.

Preciso de um modelo de teste.

— Ah, Alice? — Volto à recepção, mas Alice não está lá. Nem Talia. Penso em voltar e pedir para Megan posar, mas quero um tempo longe dela.

Só tem uma opção: eu mesma vou ter que posar.

A ideia me provoca um arrepio. Não gosto de ficar diante da câmera, gosto de estar *atrás* dela. *Mas é só um teste*, digo a mim mesma. Posso deletar a foto logo depois.

Com alguns cliques nos botões, programo o timer na câmera digital. Depois tiro o laptop da bolsa. Se tem uma coisa que odeio mais do que estar na frente da câmera é ter que olhar para a câmera. Pulo no sofá. Abro o laptop e finjo trabalhar até ouvir o bipe que anuncia que a foto foi tirada.

É claro que, quando "finjo" que estou trabalhando, abro o browser e dou uma olhada nos comentários no post do *Garota Online*. Estou pensando em outro para hoje à noite, mas ainda tenho que ver como vai ser o restante da sessão com Leah. Ainda não escrevi sobre Callum — não quero chamar atenção para isso — e é ainda mais difícil agora que pessoas que conheço (inclusive o Callum) vão ler e analisar cada palavra. Logo sou envolvida pelos comentários que, felizmente, no meu blog são sempre gentis e positivos. Trabalhei muito para garantir esse clima e fazer do *Garota Online* um ambiente seguro para os leitores.

Meu blog já foi fonte de muita ansiedade para mim, tanto que quis encerrá-lo definitivamente. Mas agora sei que ele pode ser um instrumento do bem. Espero que, com o tempo, Posey também chegue a essa conclusão sobre seu medo de palco.

Quando termino de ler os comentários, estou sentada ali por mais tempo do que pretendia. Corro para perto da câmera para ver como ficou a foto. E, na verdade, o resultado é uma agradável surpresa. Tem um efeito estranho — o jeito como segurei o laptop criou a impressão de que o paralelogramo no chão é um reflexo dele — ou melhor, uma sombra *invertida*, como se o próprio laptop projetasse luz. Eu estava certa, a luz explode um pouco no meu rosto, mas, em contraste com o branco da parede, o resultado é bom. Meus olhos estão voltados para a tela do computador, e, se eu der um zoom na imagem, dá para ver até um pequeno reflexo do laptop em minhas pupilas. Ficou... único.

Unicamente Penny. Uma foto minha, fazendo *outra coisa* que amo.

Sinto um formigamento na palma das mãos, e a sensação se espalha até tocar meu coração. Acho que posso ter alguma coisa aqui.

16

— Ei, o que está fazendo?

A voz me assusta. Levanto a cabeça e vejo Megan parada no alto da escada.

— Ah, só estava analisando uma foto de teste para mais tarde. Tudo bem! — Levanto o polegar para ela.

— Sabe onde fica o banheiro? — ela pergunta.

— Deve ser por ali.

— Legal.

Deixo a câmera no mesmo lugar e desço a escada. Quando chego ao estúdio, me surpreendo ao ouvir Leah terminando uma canção que nunca ouvi antes e fico decepcionada por ter perdido sua música nova. Alguns momentos depois, Megan volta.

— Você acabou de perder a Leah cantando a música nova! — falo.

— Ah, droga — ela diz, mas não parece muito desapontada. Então se senta, pega o celular e começa a jogar *Candy Crush Saga*.

Suspiro e mudo de posição, virando de frente para Leah e Posey na sala de gravação. Eu não devia ter convidado a Megan. Ela foi uma presença negativa desde que chegamos ao estúdio.

— Mal posso esperar para fazer isso um dia — Megan comenta, sem perceber minha irritação. — Pode pedir para a Leah me ouvir cantar também? Talvez ela possa me apresentar para o empresário.

— Pede você — respondo e fecho os olhos para ouvir mais uma das músicas novas de Leah. É diferente do que ela fez anteriormente, menos "pop", com um som mais sombrio, mas igualmente envolvente e fácil de pegar. Quando chega o refrão novamente, já consigo sentir meu cérebro decorando a letra. Leah sabe *exatamente* como fazer uma boa música.

Quando ela e Posey voltam à sala de controle, Megan e eu aplaudimos com entusiasmo.

— Demais! — falo para Leah. — Você que escreveu a letra da última música?

Para minha surpresa, ela parece se encolher.

— Sim. É boa? Eu fiz a letra de todas essas. Estou tentando compor cada vez mais nos meus discos.

— É linda — respondo, sorrindo.

— Ufa. A Carmen Delaware vem cantar comigo amanhã, e quero que seja bom.

Megan levanta a cabeça de um jeito brusco.

— A Carmen Delaware? Mas ela não é, tipo, sua inimiga declarada? — Carmen é outra artista pop, mas ela é inglesa, não norte-americana, que surgiu mais ou menos na mesma época que a Leah.

Leah joga a cabeça para trás e ri.

— Está brincando? Eu e a Carmen nos conhecemos há *muiiito* tempo, e é a mídia que gosta dessa história de briga. Eu não teria conseguido chegar aonde cheguei sem ela. Tenho certeza de que foi ela quem me deu essa confiança que acabei de transmitir para vocês.

— E quando ela ganhou o prêmio de Melhor Canção no BBMA antes de você? Não ficou com raiva daquilo? — Megan se refere a uma das mais recentes manchetes da mídia sobre Leah. — E aquela canção dela, "Knock You Down", não é sobre você?

— Caramba, espero que não! Não, a música foi escrita para o contador que fraudou os números e desviou dinheiro da venda das músicas dela. Mas entendo que seja mais divertido pensar que foi para mim.

Vejo uma linha perigosa no nariz de Megan, um sinal de que ela não acredita no que ouviu, mas interrompo antes que ela possa ficar mais empolgada.

— Querem subir comigo, meninas? Montei o tripé para tirar umas fotos bem legais.

— Que ótimo! Vamos lá!

No entanto, quando estamos subindo a escada, Megan insiste:

— Não acredito nessa história sobre você e a Carmen. Como você pode gostar de alguém que tem tudo que você quer, que está sempre um passo à sua frente? Ela fez a primeira turnê solo antes de você, ganhou um disco de platina antes de você, e aquele prêmio...

— Puxa, você sabe muito sobre mim e a Carmen.

— Eu vejo muito TMZ — Megan dá de ombros.

Leah não diz nada até nos aproximarmos dos sofás brancos. Ela se posiciona na frente da câmera, e só então seus olhos azuis se voltam para Megan. Eu conheço muito bem esse olhar e garanto que ninguém gostaria de ser alvo dele.

— Olha só, eu acho que você tem uma lição importante para aprender. Precisa parar de olhar para o lado o tempo todo, para a Penny, para a Posey, e começar a se concentrar no seu caminho. O sucesso da Carmen não interfere no meu nem diminui o que eu conquistei. Fico feliz por ela ter se dado bem e espero que continue sendo a primeira em tudo! Sei que um dia também vou chegar lá. Ela está abrindo caminho para mim, não construindo um muro que não posso escalar. Esse ramo ainda é difícil. Nós, mulheres, temos que cuidar umas das outras. Seja na parada das Quarenta Mais, no mundo dos blogs ou... em um espetáculo de teatro na escola de artes. Não é, Penny?

— Sim — respondo com convicção. Felizmente Leah conseguiu colocar Megan no lugar dela.

Megan fecha as mãos e juro que consigo ouvir sua cabeça funcionando como um HD superaquecido.

— Eu sei! — ela retruca. — Mas não tenho culpa se ela é um caso perdido.

— Acho que você não sabe de nada — Leah replica com um sorriso triste. — Mas vai aprender. Sem a ajuda dos seus colegas e sem ajudá-los, você não chega muito longe nesse mercado. Confia em mim.

E se não está disposta a ajudar sua colega de classe, acho melhor sair do meu estúdio.

Megan abre a boca, e vejo manchas vermelhas surgirem em seu rosto.

— Tudo bem. Nem todo mundo precisa se pendurar na barra da saia dos outros para chegar no topo. — Ela se levanta, vira e sai.

Embora não concorde com o que ela disse, quero ir atrás dela para ter certeza de que está bem, mas Leah toca meu braço.

— Ela é bem crescidinha e vai ficar bem. A Talia vai colocá-la em um táxi. Não precisa se preocupar com como ela vai voltar para casa. — Então olha para Posey. — Pronta para o nosso close com a melhor fotógrafa do show business, amor?

Fotografar Leah e Posey é ótimo e elas parecem se dar muito bem. Enquanto conversam, pego meu laptop de novo. O discurso de Leah me inspirou de verdade, e sei que daria um post curto, mas excelente para o blog. Estou ansiosa para divulgar a mensagem dela para os meus leitores do *Garota Online*.

3 de outubro

O Sucesso de Outra Pessoa NÃO É o Seu Fracasso

Você já teve uma nota ótima em uma prova, mas a garota que senta ao seu lado teve uma nota *mais alta*? E, embora sinta que tenha se esforçado mais, seu resultado não foi tão bom?

Já se esforçou muito no emprego, trabalhou até a exaustão, mas *outra* pessoa ganhou o aumento que você acha que merecia?

Já passou a noite toda em claro criando alguma coisa de que se orgulha, mas *outra* pessoa criou algo ainda melhor e disse nem ter investido muito tempo naquilo?

Às vezes isso acontece, e, vamos ser sinceros, todo mundo fica roxo de inveja e quer ter a sorte, o talento ou a determinação do outro. Quando você trabalha no mesmo ramo que outra pessoa, faz as mesmas coisas, tem a mesma paixão, o sucesso do outro pode realmente te derrubar, se você sentir que não está no mesmo caminho e não vai na mesma velocidade.

E se, sempre que leio o blog de alguém e ele é bom, eu digo: "Ah, o meu não é tão bom, então odeio esse outro blog porque ele tem mais acessos que o meu"? De que isso serviria? Tem espaço suficiente para todo mundo fazer aquilo em que é bom. Sempre vai ter alguém mais bem-sucedido que você, mas sempre vai ter alguém querendo ser tão bem-sucedido quanto você. Todo mundo quer o sucesso, mas não precisamos nos isolar com inveja por causa disso. Uma coisa que aprendi recentemente é que apagar a vela alheia não faz a sua brilhar mais forte.

Como diria uma amiga minha muito sábia: "Concentre-se no seu caminho, vá no seu ritmo e não olhe para os lados. O sucesso de outra pessoa não tem que interferir no seu ou diminuir o que você conquistou".

Um pensamento de sábado para vocês.

Garota Online, saindo do ar xxx

Quando saímos do estúdio, Posey me dá um abraço gigante.

— Obrigada. Isso foi realmente especial. E... prometo que não vou desistir. Mesmo que não seja neste espetáculo, neste papel, vou continuar tentando.

Sorrio.

— Acho que isso é tudo que posso pedir! — Olho que horas são. Quase uma da tarde, horário em que combinei encontrar Callum.

— Está tudo bem, Penny? Parece que você viu um fantasma!

— Não é isso, mas acho que tenho... que ir a um encontro!

17

Do lado de fora da estação St. James Park, mexo nas alças da minha jardineira. Devia ter vestido alguma coisa mais justa para não parecer três manequins maior do que realmente sou. Olho para trás a todo instante, pensando se seria muito indelicado desistir. Lembranças de cada encontro terrível que tive voltam como uma onda, e lembro como foi estranho com Oli quando me apaixonei por ele. Esse é o período de minha vida que chamo de AN — *Antes do Noah*. Penny AN *não* era tão de boa. Não tinha conhecimento sobre garotos e relacionamentos, nunca havia sido beijada de verdade, e se encolhia em um canto quando "Angels" de Robbie Williams começava a tocar no fim dos horríveis bailinhos de escola para os quais Megan a arrastava.

Alguém bate no meu ombro antes que eu possa tomar uma decisão. Levanto a cabeça e um sorriso idiota aparece no meu rosto. Callum é *exatamente* fofo como eu lembrava, e parece ter caprichado hoje. Está usando um blazer sobre uma camisa estampada e calça cáqui. A única coisa que não combina é a mochila pesada, que reconheço como uma bolsa de câmera da marca Lowepro. Coisa fina.

— Oi, Penny! — Ele beija meu rosto, coisa para a qual eu *não* estava preparada.

— Callum, oi! — Dou um passo para trás e tropeço no meu cadarço desamarrado. Perco o equilíbrio, giro os braços, mas Callum estende a mão, me impedindo de cair.

— Não vai cair por mim assim logo de cara. Espera pelo menos até o fim do encontro — ele fala rindo.

— Você vai aprender que, para mim, ficar em pé nem sempre é a coisa mais fácil.

— Quero saber tudo sobre você — ele responde com um sorriso sonhador.

Não sei o que dizer depois disso, então deixo o silêncio desconfortável se prolongar por um momento antes de me recuperar.

— E aí, aonde vamos?

Callum pega uma linda cesta atrás dele.

— O dia está tão lindo que achei que a gente podia fazer um piquenique no parque.

Solto o ar que nem sabia que estava prendendo. Por alguma razão, esperava me decepcionar com a sugestão de passeio. Mas não me decepciono. Um piquenique é perfeito para um primeiro encontro discreto.

— Ótima ideia! — aprovo.

— Legal! — Ele estende a mão, e eu a seguro.

O parque é lindo nesta época do ano, com as folhas começando a mudar de cor e o ar ainda quente o bastante para você sentar ao livre sem nenhuma preocupação.

— Teve uma manhã legal? — Callum pergunta, estranhamente formal na conversa. O sotaque ainda me faz sorrir. Também tenho a impressão de que a cesta de piquenique está bem pesada, porque ele anda meio inclinado.

— Ah, sim, obrigada. — Não sei por que, mas sinto que tenho que ser formal também. Queria poder simplesmente pular para a parte em que a gente se sente confortável um com o outro, mas sei que não é assim que funciona. *Exceto com o Noah*, diz uma parte irritante do meu cérebro. — Fui ver minha amiga, que é cantora. Leah Brown, conhece?

Callum dá risada.

— Ah, e você fala isso com essa naturalidade? Eu também vi um amigo, mas infelizmente era só meu companheiro de dormitório de cueca.

Torço o nariz.

— Vocês, homens, nunca ouviram falar em *roupas*?

— Não no fim de semana! A menos que a gente tenha um encontro com uma gata, é claro. Quer dar uma volta no lago antes de comer?

Estou me preparando para responder quando meu estômago ronca de um jeito nada "felino". Esqueci que a última coisa que comi foi uma barrinha de cereal de manhã.

— Vou considerar isso como um não! — Callum decide, rindo.

Eu me encolho por dentro. Por que meu corpo não pode se comportar normalmente em situações do tipo encontro?

— Você se incomoda? — pergunto baixinho.

Ele solta minha mão e passa um braço sobre meus ombros, me puxando para mais perto.

— Não se preocupa, Penny. O que acha daquele lugar ali?

Sigo a linha apontada por seu dedo até um trecho de grama embaixo de um carvalho, uma área já forrada de folhas alaranjadas caídas no chão. É perfeito e muito romântico. Na verdade, não muito longe de lá, vejo um casal que parece fotografar um ensaio de noivado. Eles estão sentados na grama, um de costas para o outro, as duas mãos juntas formando um coração. É fofo, mas não faz meu estilo de foto. Prefiro capturar momentos mais espontâneos, fotos naturais que mostrem como um casal realmente é.

Mas ver o fotógrafo trabalhando me inspira.

— Espera um segundo — digo. Pego a câmera na bolsa e tiro uma foto da árvore e do casal. Desse ângulo, não consigo ver a pose brega, eles só parecem relaxados.

— É claro! Eu devia saber que ia querer guardar este momento.

— Já vou parar.

— Não, não para! Gosto de ver você fotografar. Que lente é essa? — Callum deixa a cesta no chão e eu passo a câmera para ele. Ele a vira nas mãos, examinando a lente, depois olha pelo visor.

— Belo kit. Mas já pensou em trocar pelo modelo 5D mark 3? — ele pergunta.

Sorrio.

— Ah, eu bem que trocaria, mas uma dessas está bem fora do meu orçamento. Eu adoraria ter uma ultragrande angular, mas isso seria, tipo, três presentes de Natal e um de aniversário.

Ele assente e me devolve a câmera. É divertido ter alguém com quem conversar sobre fotografia. Callum é muito diferente de Noah, que não saberia distinguir uma lente macro de uma zoom. Callum estende a toalha de piquenique sobre as folhas no chão. Sento na beirada e o vejo tirar do cesto uma deliciosa variedade de sanduíches.

— Nossa, isso tudo parece estar delicioso! E são scones ali?

— Pode acreditar que sim.

— Onde um escocês de dezessete anos encontra scones nos dias de hoje?

Callum pisca.

— Um homem tem seus truques. — Depois dos scones, ele tira do cesto o que parece ser uma garrafa pequena de cava.

— Ah, desculpa, eu não bebo — aviso, odiando como isso me faz parecer mais nova. — Não combina com a minha ansiedade — continuo, recitando a desculpa rapidamente antes que ele pergunte por quê.

— Sério?

— Sim.

— Nem se eu misturar com suco de laranja?

— Melhor não, se você não se importar. — Sinto um arrepio no braço. Queria que ele não insistisse.

Felizmente, Callum dá de ombros e devolve a garrafa ao cesto. Por último, ele pega os pratos de papel e os talheres que lembrou de trazer. E prepara um prato para mim, posicionando cada alimento perfeitamente.

— Quer dizer que esteve em Roma no verão passado? Eu adoro aquele lugar. — Ele me entrega o prato. Os sanduíches são tão bonitos que é quase uma pena comê-los. Mas me lembro do meu estômago roncando. *Quase*. Enfio um na boca praticamente inteiro, depois tenho que mastigar meio sem jeito até conseguir falar.

— Ah, é, foi demais. O sorvete, principalmente, é uma loucura.

— Você gosta de viajar?

— Gosto de viagens, mas não de viajar, se é que isso faz sentido. Quero ver todos os lugares incríveis do mundo, mas entrar em um avião é...

— Eu me arrepio, embora não esteja frio.

— Seria legal se a gente pudesse estalar os dedos e já chegar nos lugares, não é?

— Exatamente! — concordo, sorrindo.

— Eu me senti assim na viagem para casa. Queria que a Escócia não fosse tão longe. Você já foi lá?

— Não, mas eu vou agora, nas férias de meio de ano.

Callum levanta as sobrancelhas até quase tocarem a raiz dos cabelos

— É mesmo? Para onde você vai? Edimburgo?

Balanço a cabeça.

— Não, algum lugar nas Terras Altas. Castelo Lochland. Já ouviu falar? Minha mãe é cerimonialista e tem uma empresa de organização de casamentos em Brighton. Ela vai fazer um casamento importante na Escócia, e eu vou para ajudar.

— Está brincando. — Callum está de queixo caído. Tem um pedaço de sanduíche mastigado dentro da sua boca, e não consigo parar de olhar para aquilo. *Eca.*

Franzo a testa.

— O quê? Não... ela é cerimonialista.

— Não, não, não é isso. É que a minha prima vai se casar no Castelo Lochland nas férias de meio de ano. Jane Kemp?

O nome é familiar.

— Acho que é o casamento Kemp-Smithson — confirmo. Normalmente, eu nem lembraria esses detalhes, mas desta vez é diferente, porque é uma ocasião muito importante para minha mãe.

— Smithson! É isso mesmo. Sempre esqueço o nome do cara. Que coincidência! Na verdade, acho que deve ser o destino. — Ele se inclina para mim, a mão tocando a minha casualmente. Sinto que ele se prepara para me beijar...

Um grito alto nos faz virar a cabeça. Olho para a margem do lago e encontro a origem do grito agudo. É só uma criança correndo enquanto a mãe a persegue. O menino usa uma coroa de papel com um "6" desenhado nela, e alguns passos atrás dele tem mais dez ou onze crianças e um ou dois pais e mães.

— Ah, deve ser uma festa de aniversário!

— Que ótimo! Um bando de crianças xeretas para estragar o clima — Callum resmunga.

Acho que não concordo com ele, embora reconheça que as crianças interrompem o clima romântico. Em seguida, um pingo d'água cai na minha cabeça. (De onde vieram essas nuvens? Elas parecem ter se materializado do nada.)

— Acho que não é a *festa* que vai estragar tudo.

E aí, como se minhas palavras fossem uma profecia, o céu despenca, e nosso lindo piquenique é encharcado pela chuva.

18

O cuidadoso arranjo de Callum vai para o espaço quando jogamos tudo de volta no cesto rapidamente. Agora o grupo de crianças está gritando *de verdade* e correndo para se abrigar.

Quando terminamos de guardar tudo, Callum segura minha mão.

— Por aqui! — ele diz.

Ainda tenho um prato de papel na mão, que seguro sobre a cabeça como um fraco substituto para um guarda-chuva. Corremos para o portão do parque e para o ambiente seco e acolhedor de uma cafeteria perto da estação.

Foi pouco tempo embaixo do temporal, mas meu cabelo está ensopado. A maquiagem que passei com tanto cuidado mais cedo também está me deixando na mão. Olho para Callum, que quase nem parece molhado. Seu cabelo curto continua perfeito, como sempre. Como os garotos fazem isso?

Ele enxuga um pingo de chuva da ponta do meu nariz. Seus ombros caem, o que me surpreende.

— Desculpa. A previsão do tempo hoje de manhã não falou sobre a possibilidade de chuva.

— Não tem problema. Nem sempre a gente pode confiar no que aqueles caras dizem, não é? — Sorrio.

— Não, com certeza. — Ele parece bravo.

— Ei, não se preocupa com isso. Sério. — Pouso a mão em seu braço.

Ele o sacode para se livrar do contato.

— Droga. Pode pedir um latte para mim? Vou até o banheiro me enxugar. — Ele me entrega uma nota de cinco e desaparece, furioso.

Fico ali parada com o dinheiro na mão, olhando enquanto ele se afasta. Depois decido não me incomodar tanto com isso. A chuva estragou seus planos para hoje, e ele está bravo. Tudo bem. Entro na (agora) longa fila para fazer o pedido.

— Ah, que pesadelo! — a mulher atrás de mim grita. Eu viro e reconheço uma das mães da festa de aniversário. — A previsão não mencionou nada disso, não é?

— Parece que não! — respondo.

— O que eu vou fazer com uma dezena de crianças gritando e contando com uma festa ao ar livre? Alguma ideia?

Dou de ombros, mas a mulher continua falando.

— Tudo que tenho é um bolo de aniversário quase encharcado. Acho que vou ter que servir o bolo aqui. Que maravilha! E ainda vou ter que lidar com a energia das crianças depois que comerem essa quantidade enorme de açúcar.

Olho por cima do ombro dela, para o bando de crianças entediadas, e sinto sua decepção.

— Posso fazer alguma coisa? Quer que eu pegue sua bebida enquanto você corta o bolo?

— Ah, isso seria ótimo! Obrigada. — Ela me dá duas libras. — Só um chá. Senhor, como eu preciso disso! — A mulher volta correndo para perto das crianças, e uma delas, o aniversariante de seis anos, está subindo em uma mesa. — Desce, Lucas! — ela grita, irritada.

Dou risada. Finalmente, quando chega minha vez, peço um latte e dois chás com leite.

— Para quem é a terceira bebida? — Callum aparece atrás de mim e eu me assusto. É bom ver que ele está relaxado de novo.

— Ah, é para a pobre mãe que está cuidando daquele bando de crianças.

— Muita bondade sua. — Callum pega o latte da minha mão e vai se sentar na mesa mais afastada daquela onde acontece a festa de aniversário.

— Você se incomoda se eu for ao banheiro antes? — pergunto. Callum acena sem dar muita importância à pergunta, e eu interpreto a resposta como um "pode ir, não me incomodo".

Sob a iluminação forte do banheiro, eu me apoio à pia e olho para o meu reflexo no espelho. Limpo um pouco do rímel que escorreu dos cílios e tento ajeitar meu cabelo molhado, devolvendo-lhe um pouco de vida. Mas são os olhos que me preocupam. Eu não pareço nada... feliz.

Não consigo identificar qual é o problema. Callum tem sido um perfeito cavalheiro, com alguns pequenos deslizes sobre álcool e depois a chuva. Mas estou com um pressentimento estranho, um vazio na barriga que não tem nada a ver com fome, nem com empolgação, nem com o entusiasmo que eu esperava sentir. Na verdade, quase chego a sentir que as paredes de azulejos estão se fechando à minha volta, e tudo que realmente quero é encontrar um motivo para ir embora sem parecer grosseira. Estou gostando demais de ficar aqui escondida.

Penso em mandar uma mensagem para o Elliot pedindo um conselho, mas sei que ele vai me censurar por estar no celular durante um encontro, então decido me controlar. *Você não está sendo justa, Penny*, digo a mim mesma. *Pelo menos, dê uma chance a ele.*

Mais animada, ponho um sorriso no rosto e volto ao salão da cafeteria.

— Pensei que tivesse se perdido lá dentro — diz Callum.

— Não, está tudo bem.

— Você está bonita. Mesmo encharcada pela chuva. — Ele toca minha mão quando me sento, e eu fico muito vermelha. Não tenho certeza dos meus sentimentos neste momento, mas ele é lindo, e o desconforto que eu estava sentindo desaparece. Será que sou mesmo tão inconstante?

— Obrigada — respondo.

— Desculpe interromper, desculpe interromper! — A mulher do aniversário se aproxima correndo, e não dá para não notar a frustração que distorce os traços perfeitos de Callum. Por sorte, a mulher parece não notar, e sorrio para ela com simpatia. — Muito obrigada pelo chá. Trouxe dois pedaços de bolo para agradecer.

Ela deixa sobre a mesa duas fatias amassadas de bolo de chocolate embrulhadas em guardanapo marrom e se afasta apressada.

Pego uma fatia e dou uma mordida. O bolo é delicioso.

— Uau, bolo de graça! — comento. — E está muito, muito bom!

Callum dá de ombros.

— Não ligo muito para bolo.

— Ei, que esquisito, acabamos de ganhar bolo! — Sinto o entusiasmo borbulhar em minhas veias. É a oportunidade perfeita para ver como Callum é de verdade.

Ele me encara como se eu tivesse perdido a lucidez.

— Ah, sim, e...?

— E... então, na minha família, temos uma tradição chamada Dia do Mistério Mágico. Faz um tempo que não comemoramos, mas ele sempre começa com bolo, e depois temos que ir de um lugar para o outro, comendo bolo em todas as refeições.

— Parece meio bobo... — Um sorriso forçado marca seu rosto, e o sorriso é seguido por uma risada constrangida.

— É, acho que é... — O desânimo surge estampado no meu rosto.

Callum percebe e volta atrás.

— Não é bobo, mas é... infantil. Sabe, divertido quando a gente é criança, mas... Seus pais devem ter sido muito engraçados. Mas agora, quando você ganha bolo de graça em Londres, precisa tomar cuidado, porque pode ter alguma coisa nele.

— Que jeito mais desconfiado de ver a vida.

— Cuidado nunca é demais. E tenho uma ideia melhor que bolo. Já que está chovendo, o que acha de irmos ao cinema?

Olho para o meu relógio. Falta mais de uma hora para eu ter que pegar o trem, mas não dá tempo para ir ao cinema. A reação dele ao

Dia do Mistério Mágico acabou com o pouco ânimo que eu tinha. Quando falei disso com Noah, ele se juntou imediatamente à diversão. Posso realmente ficar com alguém que não consegue aproveitar os incríveis momentos de bolo na vida? Não sei se isso vai dar certo. Balanço a cabeça.

— Tenho que pegar o trem para casa. Quem sabe outro dia? — As palavras saem da minha boca antes que eu possa impedir.

Vejo a decepção nos olhos de Callum, mas eles se iluminam novamente em seguida.

— Talvez a gente se encontre na Escócia na semana que vem, então?

— É, seria legal. — Eu me arrependo de ter contado isso a ele. Mas vou estar tão ocupada ajudando minha mãe, que não vai sobrar tempo para encontrar Callum. Vou ter que recusar seus convites educadamente mais uma vez ou evitá-lo com a habilidade das Panteras.

— Vamos, vou te acompanhar até a estação.

— Ah, não precisa.

— Sim, eu preciso. Esse encontro já deu muito errado. Acho que é bem-feito para mim por tentar impressionar. — E aponta para a cesta.

Ele parece tão triste que sinto pena. Instintivamente, seguro sua mão.

— Não, foi muito legal. Você não pode controlar o tempo. Vamos tentar de novo... Talvez na sua cidade seja melhor.

Ele sorri, e meu coração dá um pulo. Callum é incrivelmente fofo. POR QUE SOU TÃO INCONSTANTE?

Ele põe um braço sobre meus ombros e me leva para fora da cafeteria, de volta à estação de metrô. Ainda está chovendo forte, por isso corremos para a entrada.

— Foi muito bom te conhecer melhor, Penny — ele fala, parando antes da barreira de catracas. — Por exemplo, agora eu sei que o caminho para chegar até o seu coração talvez seja um bolo de chocolate. — Ele pisca.

— É — respondo, e a palavra parece mais um suspiro. A mão dele passeia por meu braço, do ombro até a palma da mão.

Meu coração bate acelerado, e sinto como se tivesse corrido dois quilômetros, embora estejamos parados. Levanto o queixo e olho nos olhos dele, o ar preso na garganta.

— Até a Escócia, então.

— Até lá.

Sua mão segura a minha, me puxando para mais perto. A outra toca meu queixo e, muito suavemente, seus lábios encostam nos meus.

4 de outubro

Nervosismo de Primeiro Encontro

Escrever o título deste post é suficiente para provocar um choque que vai fazer você clicar nele. Sim, é isso mesmo. Eu tive um encontro. Com um garoto. Que não é do Brooklyn. Vou dar um tempo para vocês...

...

...

Só tive um número pequeno de encontros antes, e não tenho uma enciclopédia de experiências positivas de onde tirar conhecimento. Na verdade, a maioria deles foi um desastre. Para ser sincera, depois de *tudo* que aconteceu no ano passado, eu me senti bem estranha quando aceitei sair com alguém, mas decidi que não tinha nada a perder. Se nunca mais nos falarmos, se nos despedirmos como amigos ou tivermos uma ligação imediata, como saber, se eu nunca tentar?

Por um tempo, neguei até que isso era um encontro, mas depois que vários amigos me convenceram a aceitar o convite, decidi que era melhor admitir o fato de que realmente PODIA ser um encontro, e tudo bem. Acho que, quando você dá a alguma coisa o nome de "encontro", tudo se torna um pouco mais assustador.

"*E se* for desconfortável?"

"*E se* ficarmos sem assunto?"

"*E se* ele comer com a boca aberta?"

"*E se* eu cair e mostrar a calcinha?"

As possibilidades são *INFINITAS*.

Antes do meu encontro, consegui acabar com os "e se" depois de um tempo. Esgotei todos os possíveis horrores, evitei todos os possíveis cenários.

De qualquer maneira, quem sabe se isso vai dar em alguma coisa? Mas achei legal passar um tempo com uma nova companhia, e ainda ganhamos *bolo de graça*, então, em resumo, não foi uma tarde ruim! Também estou satisfeita por ter conseguido sair da minha zona de conforto e deixar em casa todos os pensamentos que poderiam me incomodar.

Vocês ficam nervosos antes de um primeiro encontro? Têm alguma experiência horrível para contar sobre eles? Então, por favor, me digam logo, para eu me sentir um pouco melhor com isso.

Garota Online, saindo do ar xxx

19

— E aí, como foi o beijo? — Elliot me pergunta, deitado de bruços na minha cama enquanto balança as pernas levantadas. Eu tinha acabado de dizer a ele sobre o meu encontro por pouco desastroso, do piquenique ao temporal, e os comentários sobre o Dia do Mistério Mágico.

— Foi bem legal — respondo e me apoio na cabeceira da cama.

— *Legal?* Credo, isso é tipo o beijo da morte! — Elliot torce o nariz enquanto fala. — Sério? *Legal* é tudo que você tem para falar? Legal é tipo... o Middlesbrough dos elogios.

— Você já esteve em Middlesbrough?

— Não, mas nem preciso ir. O nome já diz tudo.

— Sei. E eu disse "bem legal".

Elliot levanta as mãos.

— Ah, nossa, grande coisa. Sério, foi só legal?

Dou de ombros.

— Sim. Ele parece ser o cara perfeito para mim, mas não tem aquela faísca.

— Acho que esse tipo de coisa demora um tempo. — Elliot comenta, meio em dúvida. — Vai ver o garoto de novo?

— Não tenho escolha. Ele foi convidado para o casamento que a minha mãe e a Sadie Lee estão organizando. Vou ter que encontrá-lo de qualquer jeito. Depois disso, não sei. Vamos ver o que vai rolar.

— Que história é essa de paquera em casamentos? E o Noah? Nenhuma notícia dele?

Balanço a cabeça. Ter Bella e Sadie Lee por perto só aumentou a vontade de saber notícias dele, entrar em contato com ele, contar que as pessoas estão pensando nele. Mas, cada vez que ameaço ligar, eu me obrigo a desistir. Tentei falar com Noah um tempo atrás, mas agora vou acatar a sugestão de Sadie Lee e esperar até ele estar pronto para isso. Noah quer se isolar. A decisão é dele. Mesmo que eu a considere bem egoísta. E quanto mais tempo ele passa afastado, mais eu fico brava com isso.

— Estive lendo sobre o Castelo Lochland, o lugar é incrível. Acha que é exagero o Alex e eu usarmos kilts combinando? Ah, e espero que não chova.

— Kilts combinando? Ah, não, por favor! E quanto à chuva, acho que não vamos poder escapar disso.

— E você vai ter que me apresentar para esse tal de Callum. Só então eu vou poder avaliar direito se esse seu primeiro beijo esteve mais para *blé* do que para *uau*.

— Ele não foi blé — reajo na defensiva. E não foi mesmo. Foi exatamente o que eu disse: legal. Mas não me deixou eufórica. Será que eu não estava esperando demais? Tudo nele grita que eu devia dar outra chance. Talvez em seu ambiente doméstico ele fique mais à vontade. Sadie Lee e Bella também vão estar lá, mas vou estar tão longe de todas as outras lembranças de Noah que talvez *eu* também consiga relaxar.

Elliot se deita de costas.

— Não acredito que a Megan foi posta para fora do estúdio da Leah. Você falou com ela depois disso?

Balanço a cabeça.

— Não. Pensei em mandar uma mensagem, mas acho que desta vez é ela que tem que me procurar.

— Você tem razão. Você sempre foi muito legal com essa garota, mas ela é sinônimo de encrenca. Ainda não perdoei aquela gracinha na *Celeb Watch*, e não acredito que você tenha perdoado. Já esqueceu o Escândalo do Milk Shake? A única vez que achei a Megan engraçada foi quando ela estava pingando os milk shakes que jogamos nela... — Um sorriso ilumina seu rosto, mas sinto imediatamente uma pontada de culpa e recupero a seriedade.

— Eu sei. Mas tenho certeza de que ela não vai fazer nada parecido de novo. Ela aprendeu a lição.

Elliot bufa.

— Ontem aconteceu outra coisa interessante — continuo. — Tirei uma foto e mandei para a Melissa... — Fecho a boca. De repente me sinto acanhada em relação a isso. Elliot sabe que tenho procurado alguma coisa "unicamente Penny" que seria digna da oportunidade que François-Pierre Nouveau me ofereceu, mas ele não sabe que tenho enviado fotos para a gerente do escritório dele. Tenho a sensação de que essa foto pode ser o começo de alguma coisa, mas não quero atropelar tudo contando a novidade para meu amigo.

A resposta de Melissa para minha última foto foi a mais entusiasmada até agora.

— *Eeeee...?* — Elliot me incentiva.

Uma pancada forte do outro lado da parede do meu quarto nos assusta, e nós dois damos um pulo e sentamos.

— Isso veio do seu quarto? — pergunto a ele.

Os olhos de Elliot estão arregalados de espanto.

— Ah, acho que sim.

Outra pancada, uma batida tão violenta que balança os quadros na minha parede, e um dos meus pôsteres se solta e cai.

— O que foi isso? — pergunto.

Então ouvimos uma voz. Uma voz de mulher. A mãe de Elliot. E ela está brava.

Ele levanta e sai correndo. Eu o sigo descendo a escada o mais depressa que posso, dando impulso no corrimão para acompanhá-lo. Chegamos ao andar principal, passamos pela porta e subimos a escada da frente da casa de Elliot. Ele tem dificuldades com a chave, e consigo alcançá-lo. Quero dizer para ele ir com calma, não correr ao encontro do que pode estar acontecendo, mas ele é um homem focado.

Quando chegamos ao quarto dele no sótão, estou completamente sem fôlego. E, se já não estivesse, o que vejo ali certamente me roubaria o ar.

A sra. Wentworth, mãe de Elliot, está no quarto dele virando tudo de pernas para o ar. As roupas dele estão espalhadas por todos os lados, o guarda-roupa normalmente organizado por cores, esvaziado no chão. Ela costuma estar sempre muito arrumada (foi daí que Elliot herdou sua mania de organização), mas hoje o cabelo está escapando do rabo de cavalo, e os botões da camisa nem foram abotoados direito.

Elliot deixa escapar um ruído quase animalesco.

— *MÃE!* Mas o quê...

— Eu sei que você está ajudando ele a esconder coisas de mim! Cadê?

— Cadê O QUÊ?

— A prova! Pode acreditar, já vasculhei cada canto desta casa, menos o seu quarto, e não encontrei nada, por isso sei que deve estar aqui em algum lugar.

— Mãe, não estou ajudando o pai a esconder nada! Eu mal falo com ele! Ele me odeia e odeia o meu "tipo", lembra? Todas aquelas horas de terapia não serviram para nada.

— É bem o tipo de manipulação que o seu pai iria adorar. — Ela desiste do guarda-roupa e agora volta os olhos enlouquecidos para a escrivaninha de Elliot.

Ele pula diante dela e abre os braços.

— Penny! Fica na frente do guarda-roupa — ele pede, desviando a atenção da mãe dele para mim.

— Isso é um assunto de *família*, Penny. Vai para casa — ela ordena friamente. Os pais de Elliot costumam ser muito gentis comigo, mas, em todos esses anos em que somos vizinhos, nunca vi a mãe dele neste estado.

— A Penny agora *é* a minha família — diz Elliot. — Ela é mais próxima de mim que qualquer um de vocês.

Eu me encolho de verdade, desejando desaparecer em um buraco no chão.

Felizmente, os olhos da sra. Wentworth se afastam de mim.

— Enquanto você estiver morando debaixo deste teto, eu tenho o direito de fuçar as suas coisas — ela diz. Imediatamente, sei que ela escolheu a coisa errada para falar.

— ENTÃO EU NÃO VOU MAIS MORAR DEBAIXO DO SEU TETO. Vem, Penny. — Elliot segura minha mão.

Quando estamos saindo do quarto, ele vira para trás.

— Procura embaixo de cada tábua do assoalho, mãe. Não vai achar nada lá. O que você está procurando não pode ser encontrado no quarto do seu filho. Não se esqueça disso.

Quando saímos, não voltamos para minha casa, apesar de ter começado a garoar. Descemos a colina em direção ao parque. Quando nos afastamos o suficiente para a mãe de Elliot não poder ver em que direção seguimos, ele começa a chorar e soluçar. Eu o puxo para debaixo da cobertura de um ponto de ônibus e o abraço apertado contra meu peito.

— Tudo bem, Elliot. Tubo bem.

— Não — ele diz depois de uma fungada forte. Dou a ele meu lenço.

— Você estava falando sério? — pergunto. — Sobre não voltar para casa?

— Sim. Se... se os seus pais não se importarem.

Sou pega de surpresa.

— Espera... Você quer morar com a gente? E o Alex?

— Não confunde as coisas, eu *amo* o Alex, e quero morar com ele. Mas não agora. Quando eu for morar com ele, quero que seja pelos motivos certos, não porque estou vivendo no quinto círculo do *Inferno* de Dante.

— Dante o quê?

— Francamente, Penny, você não lê? Nem Dan Brown? O quinto círculo do inferno é dedicado à raiva. Neste momento, a nossa casa está se afogando em raiva.

Acaricio a mão dele com delicadeza.

— Olha aí, mesmo na sua versão mais emotiva e catarrenta, você ainda é a pessoa mais geek que eu conheço.

Ele funga.

— Obrigado, Pennylícia. Desculpe por você presenciar tudo isso.

Dou de ombros.

— Deixa pra lá. Você sabe que é minha família. Também sabe tudo sobre mim.

Ele suspira e apoia a cabeça no meu ombro.

— Eles tinham que fazer isso comigo no meu último ano do colégio? Não podiam ter esperado até eu ir para a universidade ou coisa assim? O pior é que acho que minha mãe está certa. Meu pai tem agido de um jeito muito estranho ultimamente, cuidando muito mais da aparência. Juro, peguei meu pai fazendo *ginástica* outro dia. Ele volta para casa mais tarde que o habitual, faz cada vez mais viagens de negócios. No começo, achei que ele queria ficar fora de casa para se afastar de *mim*, mas agora acho que é outra coisa. Se não for isso, a paranoia da minha mãe é contagiosa.

— Acho que às vezes a paranoia *é* contagiosa. Mas seu instinto também costuma ser muito bom.

— Nesse caso, ele é muito ruim.

— Os dois são adultos. Vão ter que resolver isso sozinhos.

Elliot enxuga os olhos com meu lenço.

— Eu sei. Só queria que resolvessem sem me envolver nisso.

— Não é justo.

— Não é justo, mas é verdade. Meu Deus, eu nunca pensei que ficaria tão desesperado para ir para a Escócia! Sua mãe não podia ter sido contratada para fazer um casamento em Ibiza ou em algum lugar quente, pelo menos?

Cutuco o ombro dele.

— Ei, você ama a Escócia.

— Eu sei. As Terras Altas foram um dos poucos lugares onde os meus pais me levaram quando eu era criança. Eles fingiram que gostavam de coisas ao ar livre e compraram equipamentos modernos de camping, barracas, colchões, sacos de dormir, tudo. Depois, no meio da viagem, em algum lugar perto de Watford Gap, eles discutiram por causa da quantidade de comida enlatada que deviam ter comprado, recolheram todas as coisas, e a minha mãe fez reservas de última hora em um hotel de Edimburgo por um preço absurdo. Parece idiota, mas foi legal. Os Wentworth não são muitos bons em atividades familiares.

Elliot apoia a cabeça no painel de vidro do abrigo do ponto de ônibus, onde os pingos de chuva que correm do lado de fora parecem as marcas de lágrimas de seu rosto.

— Pelo menos desta vez o Alex vai estar comigo. Vamos poder construir novas lembranças na Escócia. Tenho a sensação de que vou precisar delas.

20

— Podemos parar? Podemos parar? — Bato no ombro do meu pai enquanto ele dirige pela estrada que sai de Inverness. Sobrevivi à viagem de avião, por pouco, com a ajuda do enorme cardigã de lã da minha mãe, que estiquei tanto que agora parece um enorme cobertor com braços. Quando acho que deixei a ansiedade para trás, surge uma viagem de avião para me lembrar que ainda tenho muito trabalho pela frente. Talvez eu nunca fique cem por cento como quero estar, mas se a ansiedade não me impedir de fazer as coisas, já vou ficar bem.

Agora que aterrissamos e estamos aqui, porém, minha ansiedade foi empurrada para um canto da mente. Pela janela, um lago cintilante se estende até onde a vista pode alcançar, cercado por campos dourados de grama alta. Estamos no carro há pouco mais de meia hora, e já me sinto totalmente encantada com a área rural da Escócia que vejo pela janela.

— Penny, se pararmos a cada cinco minutos, não vamos chegar *nunca* ao Castelo Lochland.

— Só mais esta vez, por favor.

— Tudo bem, filhinha. — Ele para perto da beirada do penhasco, e eu desço do carro. Nunca fiz muita coisa em fotografia de paisagem, mas a cada curva surge uma cena ainda mais inspiradora que a anterior. Olho para a tela para ver a foto que acabei de tirar. Sorrio. Essa paisagem não precisa de filtro ou edição para ficar incrível. Ela simplesmente já é.

Respiro fundo e encho os pulmões com o ar limpo e fresco. É diferente de Brighton, onde o ar sempre tem o sal marítimo. Aqui ele é puro e restaurador.

Meu pai buzina, impaciente, e eu volto à realidade e ao banco traseiro do carro.

— Desculpa, pai, é que é tudo muito bonito!

— Você vai precisar fazer algumas caminhadas pelas Terras Altas depois que se instalar no castelo — minha mãe comenta do banco do passageiro. — Vai adorar. Só não esqueça de levar um guia. Você não vai querer se perder por lá, não é?

— Talvez eu queira — respondo, melancólica.

O castelo fica realmente no meio do nada, e, quando nos afastamos da cidade, a área rural fica ainda mais dramática e escarpada. Meu pai só aceita parar mais uma vez para as fotos, e isso acontece quando passamos por um círculo de pedras no alto de um pântano, um monumento tão típico e místico quanto a Stonehenge. Talvez mais, porque não há grupos enormes de turistas andando por todos os lados.

— Cuidado — diz minha mãe. — Dizem que há magia em círculos de pedras como este.

— Ah, eu acredito mesmo — respondo. — Magia... ou talvez isto tenha sido construído por gigantes. Quem mais teria carregado pedras tão grandes para um lugar tão precário?

— Espere só até ver o castelo, Penny. Vai ser difícil te levar de volta para casa.

— Você não para de falar nisso, mas quanto falta para chegar lá?

Meu pai consulta o mapa. Por alguma razão, a navegação por satélite não funciona aqui em cima, tão longe de tudo.

— Não muito — ele diz. — Uma hora e meia, mais ou menos.

— Oba, mal posso esperar — confesso.

— Onde eu deixei minhas anotações? — minha mãe pergunta. Ela apalpa os bolsos e olha para o assoalho do carro.

Agora que estamos em solo escocês, posso ver a tensão aumentando e se concentrando no ar, radiando de minha mãe. Ela sempre fica assim antes de um casamento importante. E esse tem um orçamento enorme, o que significa que as listas de coisas para fazer são ainda maiores. E restam só três dias para cuidar de tudo. Não importa o tamanho do casamento, minha mãe sempre se esforça para que seja perfeito. Mas quando o evento é grandioso como esse, a logística é quase esmagadora.

— Ah! — Ela encontra as anotações e começa a virar as páginas. Eu a ouço resmungar sozinha enquanto verifica os itens das listas.

— Tem alguma coisa que eu possa fazer para ajudar quando chegarmos lá? — pergunto.

— Ah, tenho certeza que sim, querida! Uma das coisas que pode fazer primeiro é cuidar das ligações telefônicas. Não vamos ter sinal de celular lá em cima, então tudo vai ter que ser resolvido através de telefones fixos.

— Uau, isso é superantiquado!

— Pode acreditar que muita coisa nesse casamento vai ser superantiquada. Além disso, se puder manter a Bella longe da saia da Sadie Lee durante os preparativos para o casamento, também vai ajudar muito.

— É claro!

— Ótimo. O resto fica comigo...

Estico o braço e afago o cabelo de minha mãe.

— Não se preocupe, vai ser tudo lindo.

— Falando em lindo, presta atenção agora, Penny.

Olho para a janela. A estrada, cuja largura agora mal acomoda nosso carro, é cercada por árvores altas que bloqueiam a luz e projetam sombras misteriosas. Ela se contorce em curvas fechadas, sobe e desce, e passamos por uma velha ponte de pedra que parece ter sido construída há centenas de anos. Provavelmente foi mesmo.

Então, como uma cortina que se abre para revelar o cenário de uma peça, as árvores desaparecem e vejo a primeira imagem do Castelo Lochland na clareira.

— Ai. Meu. Deus. — É só isso que consigo dizer, e colo o rosto na janela.

O castelo fica no topo de uma ilha alta e rochosa no meio de um grande lago, unido ao continente por uma longa ponte. A água é coberta por uma densa camada de névoa, o que cria a impressão de que o castelo está flutuando sobre nuvens. Em volta do lago, vejo a extensão da floresta pela qual viajamos, brilhantes explosões de laranja e vermelho, colorindo a folhagem de outono.

É tudo mágico e perfeito, como imaginei que seria.

Continuamos rumo ao castelo, mas na última hora meu pai faz uma curva e segue em outra direção.

— Não vamos para o castelo agora? — pergunto, sem conseguir disfarçar a decepção.

— Não podemos passar pela ponte de carro — meu pai explica.

— Ai, mais um pesadelo logístico. Vou ter que lidar com isso! — minha mãe reclama.

— Primeiro vamos ao lugar que vai ser a nossa casa durante esta semana. Vamos deixar nossas coisas lá — continua meu pai.

— Ah, faz sentido — suspiro.

Quando paramos diante de um pequeno chalé de pedra com telhado de sapé, esqueço imediatamente minha decepção pela demora em ver o castelo. O chalé é lindo, e mal posso esperar para entrar e conhecer o meu quarto.

Já tem outro carro na entrada, o que significa que Elliot e Alex já devem estar lá. Eles viajaram um dia antes, porque Alex queria visitar o lago Ness. Ele se interessa por criaturas mitológicas.

É evidente que ouviram o ruído do nosso carro, porque logo a porta se abre.

— Saudações, damas e cavalheiros! — diz Elliot, já com uma boina xadrez. Ele está meio ridículo. Acho que é preciso ser escocês de verdade para sustentar esse visual. — Temos pão escocês quente no Aga e uma caneca esperando lá dentro.

— Ai, Elliot, você é uma *estrela* — diz minha mãe.

— O que é um pão escocês? — pergunto.

— É um pão sem fermento. Parece um scone, mas é escocês — Elliot explica com uma piscada.

— Ah, eu adoro scones. — Eu o abraço. — Mas desde quando você sabe usar um Aga?

— Não fui eu. O Alex que fez tudo. A família dele tinha um fogão desses quando ele era pequeno. Meu namorado é uma pessoa de muitos talentos.

— Bom, estou ansiosa para experimentar esse pão!

— Vem, vou mostrar seu quarto.

Lá dentro, Elliot tem que baixar a cabeça constantemente para se esquivar das vigas de madeira que se cruzam no teto. É simples e romântico como eu imaginei: tem um fogo aceso na sala de estar que, com o Aga, mantém o interior muito quente, e também um divã junto de uma parede de pedra, embaixo da janela, coberto com almofadas bordadas onde consigo me imaginar recostada, lendo um bom livro.

— Este chalé era do guarda-caça — Elliot conta enquanto sobe a escada. — Foi construído no começo do século XVI!

— Uau, isto é incrível! Mas não é para pessoas altas. Na verdade, acho que é só para as bem baixinhas — respondo, quando quase bato a cabeça em uma viga.

— Acho que a construção original não tinha escada. O quarto dos seus pais fica no andar de baixo e é muito mais espaçoso. Vamos, é por aqui.

Meu quarto fica no loft, e o teto é tão baixo que não tem nem cama de verdade, só um colchão em uma estrutura quase rente ao chão, e tenho que engatinhar para deitar. Mas não me incomodo e grito de alegria ao ver o espaço. O quarto foi decorado com delicadeza, com um dossel de lençol branco que desce do teto e envolve a cama como se ela pertencesse a uma criança. Triângulos claros em tons de rosa e verde adornam a bainha do lençol. E a melhor parte? Quando deito na cama, tenho uma visão perfeita do castelo no lago pela janela projetada que imita um sótão.

— Feliz? — Elliot pergunta com um sorriso.

Sorrio de volta.

— Nem que eu quisesse, conseguiria imaginar algo tão lindo.

21

O cheiro de pão assado que acabou de ser assado me deixa com água na boca. Ele se espalha pelos cômodos do castelo e atravessa até as paredes mais grossas para nos alcançar nas torres mais altas, onde Bella e eu brincamos com um velho jogo de pedrinhas. Sadie Lee e Bella estão hospedadas em dois quartos que são uma extensão do nosso chalé, mas viemos todos ao castelo para cuidar dos preparativos para o casamento.

Estou levando a sério a responsabilidade de manter Bella longe da saia de Sadie Lee, e exploramos juntas uma grande parte do castelo, mas não posso soltar sua mão um minuto sequer, pois ela ficou muito assustada quando viu uma daquelas enormes armaduras de metal, segurando um machado maior que a minha cabeça.

Para mim, o assustador não eram as armaduras, mas todas as cabeças de animais nas paredes, relíquias do passado de caça do castelo. Mas tudo era tão legal que logo superei o medo. Retratos enormes enfeitavam as paredes, mas não eram sem graça como os que vi em alguns castelos mais próximos de casa. Estes eram de homens musculosos vestidos com roupas de um xadrez colorido e grandes chapéus de penas, cercados pelos animais das Terras Altas, águias e enormes veados. Graças aos kilts, posso ver até suas pernas! Chego a ter a sensação de que eles vão ganhar vida. Estar no castelo me faz sentir em Hogwarts, pronta para topar com Harry, Ron e Hermione a qualquer momento.

— Vamos ver o que a sua avó está fazendo? — pergunto a Bella.

— Sim! — ela responde. Bella recolhe as pedrinhas, que rolaram pelo chão e para baixo do tapete. Eu as coloco de volta na sacolinha e deixo o jogo sobre o armário onde o encontramos.

Quando descemos a escada para a cozinha, passamos por um exército de ajudantes da minha mãe, que trabalham decorando cada centímetro do castelo. Minha mãe diz que esse é um "casamento de duas metades" — a noiva pediu que a primeira parte do dia seja branca, radiante e fresca em todos os lugares, com muitas rosas brancas que são entregues pelos olhos do cara, porque estão fora de temporada. Depois, quando o sol se puser, ela quer um clima gótico, "Halloween, mas com classe", para o baile de máscaras. Vai ser um desafio fazer todas as mudanças a tempo, mas não tem nada que minha mãe ame mais que um desafio.

Enquanto isso, Sadie Lee trabalha duro no bolo de uma vida inteira. Também é um bolo de duas metades — um lado complementando o tema branco (dezenas de flores brancas de açúcar caindo em cascata de cinco níveis enormes), o outro, coberto de preto (com rosas vermelhas pingando sangue). Se você olhar de frente, só vê um lado ou o outro, por isso vão girá-lo durante a noite. Se você olhar para a linha em que se encontram, o lado branco parece descascar para revelar o preto. Quando ficar pronto, ele vai ser absolutamente impressionante.

— Como estão as minhas meninas? — Sadie Lee pergunta quando entramos.

— Bem! Mas acho que a Bella está exausta — respondo. No mesmo instante, Bella boceja com a boca muito aberta.

— Parece que sim, mocinha.

— Vou levá-la de volta, sra. Flynn — diz uma das assistentes de Sadie Lee. Bella conseguiu encantar todo mundo que a conheceu, e todos disputam sua atenção.

— Que bom, muito obrigada, Gemma. Penny, pode pegar aquele saco de confeitar, por favor?

Olho para a coleção de instrumentos de confeitar sobre a mesa de aço inoxidável à minha frente. Às vezes, quando Sadie Lee está trabalhando, ela parece mais uma cirurgiã que uma confeiteira.

— Ah... qual deles?

— O que tem o bico em forma de estrela.

Encontro a ferramenta e entrego a ela.

— Ótimo — ela diz. — Por que não pega mais um e vem me ajudar com a decoração?

— Sério? E se eu errar?

— A prática faz a perfeição! E tudo bem, vamos fazer uns cupcakes para os pequenos...

— Ah, bom, é menos pressão que decorar o bolo *de verdade*! — comento, rindo.

A voz da minha mãe ecoa no aposento gelado, mais alta que de costume.

— Todo mundo a postos — diz Sadie Lee. — A noiva vem vindo. — Ela baixa a voz. — Sua mãe e eu temos um código. Se a noiva está a caminho, tentamos falar mais alto que o normal para avisar a outra! Ninguém quer ser surpreendido por uma noiva nervosa.

Alguns momentos depois, minha mãe aparece na cozinha seguida pela noiva, Jane.

— Tem alguma coisa com um cheiro bom aqui! — diz Jane. Eu me surpreendo. Embora seja prima de Callum, ela não tem nenhum sotaque. Mas tem a mesma silhueta esguia, e vejo um pedaço dos espinhos de uma tatuagem em sua clavícula. Agora o motivo do "casamento de duas metades" começa a ficar mais claro.

Sadie Lee beija Jane dos dois lados do rosto, evitando tocá-la com as mãos sujas de açúcar.

— Jane — diz minha mãe —, esta é a minha filha, Penny. Ela vai me ajudar amanhã.

— Ah, então *essa* é a famosa Penny!

Minha mãe e Sadie Lee olham para mim, curiosas.

— Você conhece a Penny do blog? — pergunta minha mãe.

Jane franze a testa.

— Como assim? Não, conheço porque o meu primo Callum falou dela — Jane responde com uma piscada.

Eu me encolho. Ainda não conversei com minha mãe sobre o encontro com Callum, porque parecia muito prematuro. Agora acho que pelo menos devia ter mencionado o encontro. Ops.

— Eu conheci o Callum na escola da Megan. Ele também estuda na Madame Laplage.

— Ah! — Minha mãe levanta ainda mais uma sobrancelha. Sei que ela já percebeu que a história vai muito além disso.

— Que coincidência incrível, não é? — diz Jane. — Ele chega hoje à tarde. E acha que talvez você queira dar um passeio e conhecer o lugar onde ele cresceu. Posso te deixar lá no caminho de volta.

— Ah, é... — Olho para minha mãe e Sadie Lee, que me encaram esperando a resposta. Seria grosseiro recusar uma sugestão da noiva. — É claro, seria ótimo — falo.

— Combinado, então. Eu te pego no portão da frente em uma hora. Sadie, me fala, como estão os canapés? Quero o de salmão defumado muito fresco...

Sadie Lee leva Jane até o outro lado da cozinha, e minha mãe continua parada, olhando para mim.

— Então, quem é esse Callum?

— É só um cara que eu conheci. Saímos uma vez, e ele quer me ver de novo.

— Ei, espera aí. E o Noah?

Ah, mãe. Sempre direta.

— Não tenho notícias dele há um tempão, e agora nós somos só amigos.

Ela toca meu ombro.

— Entendo. É bom conhecer gente nova. Sei que vai seguir seu coração.

— Acha que a Sadie Lee vai ficar chateada? — pergunto. Não consigo me livrar da sensação de estar traindo a família inteira.

Minha mãe balança a cabeça.

— Não se preocupe com isso. O Noah é dono da própria vida, e o que ele está fazendo não é justo com você, nem com elas. Sinceramente, espero que ele supere logo essa fase. Sério, nem todo mundo que depende da própria criatividade tem essa sorte de poder dar um tempo.

— Valeu, mãe.

— Bem, se ainda tem uma hora, aqui está uma lista de coisas que você pode fazer enquanto isso.

Olho para a lista e sufoco um gemido. São muitas tarefas que vão me fazer correr pelo castelo. Mas a última coisa que minha mãe precisa é que eu a estresse ainda mais.

Forço um sorriso e digo:

— Tudo bem, pode contar comigo!

22

Com todas as coisas que tenho que fazer para minha mãe, a hora passa voando, e em pouco tempo estou no carro com Jane, que pode superar a Kira de longe como a pessoa mais tagarela do mundo. Talvez seja a ansiedade em relação ao casamento, mas algo me diz que ela é sempre assim. Ainda não sei bem como o plano de evitar Callum sempre que possível enquanto eu estiver aqui se transformou em pegar carona com sua prima para ir à casa dele.

Estou me sentindo culpada por não ter ficado para ajudar minha mãe no castelo, mas espero poder compensá-la por isso mais tarde. É estranho como as circunstâncias continuam me aproximando de Callum. Será que é um sinal?

— Você também cresceu na Escócia? — pergunto a Jane.

— Eu falo como alguém que cresceu aqui? — Ela ri. — Não, só a família do Callum continua aqui agora, mas eu costumava vir no verão todos os anos para brincar nas Terras Altas e em torno do castelo. Sempre soube que, quando me casasse, seria neste lugar. É praticamente uma tradição da família McCrae! Talvez um dia seja sua vez. — Jane pisca para mim.

Engulo em seco. O que Callum falou a meu respeito? Tento encerrar o assunto rindo dele, mas a risada sai estridente.

— Costuma visitar o castelo com frequência, então? — pergunto.

Vejo uma expressão estranha passar pelo rosto de Jane.

— Visitar o castelo? Eu venho aqui direto! É o endereço dos antepassados da família McCrae. Só recentemente ele foi transformado em atração turística, e a família se mudou para uma casa mais moderna alguns quilômetros distante de lá. Os pais do Callum ainda estão muito envolvidos com o trabalho de reforma, e você vai poder ver a mãe dele perambulando por lá muitas vezes, fazendo visitas.

Eu arregalo os olhos. *A família do Callum é* dona *do Castelo Lochland?*

— Ah, eu não sabia disso.

— Bem, vocês ainda estão se conhecendo. Não deixe esse detalhe mudar seu ponto de vista. O Callum ainda é um dos caras mais simples que você certamente já viu!

— É, parece que sim.

— Chegamos. — Paramos diante de uma casa e eu quase deixo escapar um gemido. É *imensa*. Tem quatro janelas gigantescas de cada lado da porta da frente, o dobro do que temos em casa, e três andares de altura. O trabalho de pedras é todo coberto por trepadeiras. Parece quase um castelo. Por que nunca atraio alguém comum, um cara que more com a família em um sobrado e trabalhe no Starbucks no fim de semana?

— Que lugar bonito — consigo falar, com a voz meio embargada.

— E tem todos os confortos modernos. Tem até piscina nos fundos. Dá para entender por que os McCrae quiseram se mudar para cá. É muito mais fácil cuidar dessa casa do que de um castelo gelado. — Ela sobe pela alameda até a porta da casa e buzina duas vezes.

Callum sai pela porta da frente vestindo um traje escocês completo: boina, jaqueta verde-oliva sobre camisa creme e calça cáqui com as bainhas enfiadas no cano de botas verdes. Parece ter saído de um catálogo da Barbour. Ele não poderia parecer mais ambientado, se tentasse. Vejo que ele tem nas mãos outro par de botas como as dele, impermeáveis, e essas são cor-de-rosa. Como um perfeito cavalheiro, ele abre a porta do carro para eu sair.

— Oi, prima! — diz por cima da minha cabeça.

— Bom te ver, Callum. Bem, pombinhos, tenho hora na manicure! Mas tenho certeza que vou te ver mais vezes, Penny. — Jane acena para mim e parte no momento em que fecho a porta. Sorrio acanhada para Callum. Acho que agora estou presa aqui.

Ele me oferece as botas.

— Preparada para andar?

— Acho que sim! — respondo, rindo. Eu me equilibro no ombro dele, tiro os tênis Converse e os substituo pelas galochas. Elas exigem algum esforço, mas, assim que consigo calçá-las, me surpreendo como são confortáveis.

— Combinam com você! Vem, é por aqui. — Ele começa a se afastar da casa, mas, antes que possamos ir muito longe, somos interrompidos por um "oi!" alto.

Viro e tenho que me abaixar quando uma bola de rúgbi passa por cima da minha cabeça. Em pé na porta, vejo uma versão ainda mais alta que Callum, vestida com camiseta polo e calça de algodão.

Callum pega a bola e a arremessa de volta sem nenhum esforço para o quase gêmeo na porta.

— Tudo bem, Mal? — ele pergunta, com uma sombra de hesitação na voz.

O desconhecido grunhe e sai da casa, seguido por outro que também é loiro e alto. *Quantos são?* Sem ter tempo para pensar, pulo para fora do caminho quando os dois atacam Callum, despenteando seu cabelo. Não seguro a risada.

— Bom saber que alguém acha isso engraçado — diz Callum, imobilizado pela gravata de Mal. Ele faz uma careta. — Penny, esses malucos são meus irmãos mais velhos, Malcolm e Henry.

— Oi, Penny — eles falam quase ao mesmo tempo. Mal solta Callum, e eu finalmente olho bem para os dois e percebo que não são tão parecidos quanto achei à primeira vista. Malcolm é mais alto e mais encorpado, com um nariz que parece ter sido fraturado, e o cabelo de Henry é bem curto, e ele é mais musculoso que Callum. Mas, de longe, eu poderia pensar que são trigêmeos.

Trigêmeos esportistas e barulhentos, penso, vendo os três arrancarem a bola um do outro. Sorrio quando vejo o rosto de Callum ganhar cor e tiro uma foto deles com o celular.

Ver Callum relaxado com os irmãos me faz enxergar outro ângulo dele. Não sei se ele percebe que estou observando ou se fica sem energia de repente, porque, ofegante, ele corre para mim enquanto os irmãos riem.

— Até mais tarde, vocês dois! — Malcolm cantarola.

— Vem, vamos sair daqui antes que eles arrastem a gente para um jogo de rúgbi! — diz Callum.

— É melhor, mesmo... Sou um fracasso no esporte!

Passamos por cima de uma cerca e andamos por um campo de relva baixa e amarelada. A brisa resfria minha pele, provocando um delicioso arrepio nas costas.

— Você tem muita sorte por ter crescido aqui — falo. — É lindo.

Ele sorri.

— Ah, pelo jeito a Jane já abriu a boca. Espero que não tenha mudado de ideia sobre mim.

— É claro que não!

— É, acho que não mudaria. Afinal, você namorou um famoso astro do pop recordista em vendas, deve estar acostumada com isso.

Meu queixo cai.

— Bom, espero que *você* possa se acostumar a sair com uma pessoa comum — retruco.

Ele para e segura minha mão.

— Desculpe, não quis tocar em um assunto delicado. Vem, quero te mostrar uma coisa. Gosta de ruínas?

Estudo o rosto dele, mas não vejo sinal de malícia. Talvez ele seja o tipo de pessoa que faz piadas ruins, como chamar Noah de "astro do pop recordista em vendas". Olho para ele com um sorriso hesitante.

— Sim.

— Então, tenho a coisa certa — ele avisa. Voltamos a andar, e tenho que olhar onde piso para não acabar atolada na lama. — São as velhas ruínas de um castelo, mais ou menos a um quilômetro e meio pela costa. Na verdade, eu falo "castelo", mas é uma torre com algumas ameias no topo. O proprietário era um pirata e vigarista.

— Ah, que escândalo!

— Pois é. Por ser o terceiro filho, ele nunca teve esperanças de ter alguma coisa por meios legítimos, então se tornou pirata. Mas acabou herdando a propriedade e, de repente, era pirata e legítimo proprietário de um latifúndio. Isso não o modificou muito. Ele ainda liderava pilhagens às propriedades vizinhas e escandalizava o vilarejo. Seu castelo foi arruinado quando ele foi finalmente vencido por um clã rival, e isso pôs fim à sua vida de pirataria.

Como se quisesse criar uma atmosfera apropriada para a história, o vento ganha força quando nos aproximamos da beirada do penhasco, e meu cabelo voa em torno do rosto. Callum continua segurando minha mão, mas ajeita minha jaqueta com a outra, embora eu não me incomode com o vento. É revigorante e, Callum tem razão, *indomado*. Eu me apoio nele, em seu peito musculoso. Não é tão ruim.

Continuamos andando, enquanto as ondas quebram ao pé do penhasco, projetando jatos de água do mar a muitos metros de altura. Algumas gaivotas grasnam no céu. Mas, com exceção desses sons, é como se fôssemos as únicas criaturas numa extensão de quilômetros.

— Está vendo ali? — Callum aponta para onde o penhasco se projeta em direção ao mar.

Aperto os olhos para enxergar mais longe na direção que ele indica.

— É... é aquele amontoado de rochas?

Ele ri.

— É mais ou menos isso! Quando chegar mais perto, vai conseguir ver melhor. E, se não tiver muito mato em volta, talvez a gente até consiga entrar.

— Ah, legal! Mas é um lugar bem desolado para se construir um castelo.

— Bem-vinda à Escócia — Callum fala com uma piscada. — E, como eu disse, o homem era um pirata, queria ter uma boa vista para o mar. — Ele respira profundamente e também olha para o oceano. Parece muito mais à vontade aqui do que no tranquilo St. James Park.

— Como foi parar em Londres? — pergunto.

Callum dá de ombros.

— Eu ganhei um concurso de fotografia da Arts Scotland, e sempre adorei fotografar. Nunca pensei que fosse bom o bastante para transformar isso em profissão, mas, quando me ofereceram a vaga na Madame Laplage, decidi que a oportunidade era boa demais para não agarrar. Um lugar onde o meu hobby se transformaria de repente em algo valioso. Se não desse em nada e eu tivesse que ir para a faculdade de Direito, virar contador ou coisa assim, pelo menos teria dedicado um tempo a isso.

Assinto.

— Sei como é. É um privilégio poder fazer o que a gente ama e ainda ter esperança de ganhar dinheiro com isso. Até agora eu tive muita sorte, mas não consigo deixar de pensar que o meu tapete pode ser puxado a qualquer momento.

— Acho que isso é ser criativo — ele opina.

— Acho que sim.

Ele afaga meu ombro e me puxa para mais perto.

— Mas você não devia se preocupar com isso. É verdade, teve sorte, mas também se esforçou muito para estar no lugar onde a sorte poderia aparecer. Nem todo mundo faz isso. Além do mais, você é *muito* boa. Não subestime esse talento. FPN não faz caridade.

Sorrio para ele, agradecida.

— Quando foi a primeira vez que soube que *tinha* que ser fotógrafa? — Callum pergunta.

Reflito um pouco.

— Acho que nunca pensei realmente nisso. Deve ter sido quando minha amiga Megan ganhou uma Polaroid de presente de aniversário e me pediu para tirar fotos dela na festa. Adorei ver a foto se revelar bem diante dos meus olhos. Era como... um sonho se realizando. — Fico vermelha quando penso que devo parecer muito brega e exagerada, mas Callum assente, pensativo.

— Para mim, foi quando revelei meu primeiro rolo de filme. Levar aquele tubinho redondo até a loja, e uma hora depois pegar um envelope cheio de recordações. Foi mágico. Qual foi sua primeira câmera?

Torço o nariz tentando lembrar.

— Uma Canon Sure Shot, eu acho.

— A minha também! — Ele ri. — Eu gastava todo o meu dinheiro revelando filme nas banquinhas. A maior parte saía sem foco ou as imagens ficavam fora de quadro, mas era divertido. A semente já estava ali.

Sorrio e balanço a cabeça, surpresa com quantas coisas temos em comum, pelo menos com relação à fotografia.

Percorremos o resto da distância até as ruínas mergulhados nos próprios pensamentos, e gosto do silêncio confortável. O vento forte levaria nossas palavras, de qualquer maneira, e o ar salgado faz meu nariz arder.

Quando chegamos ao castelo, eu corro animada com a possibilidade de ficar mais perto das ruínas. As grandes pedras escuras são cobertas de musgo, e agora consigo perceber que a torre deve ter sido muito mais alta em seu apogeu.

— Por aqui — diz Callum, andando para o outro lado. Eu o sigo até perto de uma janela, ou melhor, só um buraco na pedra, e ele levanta o corpo para passar por ele. — Vem, eu ajudo — diz.

— Está bem — respondo e engulo em seco. Empurro a bolsa da câmera para trás das costas, ajustando a correia contra o corpo. Depois seguro a mão estendida de Callum e o deixo me ajudar a passar pela janela.

O interior do castelo é muito mais silencioso que a parte de fora, com o vento atacando as paredes sem conseguir entrar. No entanto, a vegetação ali invadiu completamente o espaço. Pés carregados de amoras suculentas brotam do solo e espinheiros se enroscam pelo chão.

— Este lugar é incrível — comento.

— É — ele concorda, sorrindo.

Então pega o celular para procurar alguma coisa. A justaposição é tão engraçada — esse moderno garoto escocês em um castelo antigo com seu celular novinho — que eu pego a câmera e tiro uma foto.

— Ah, dois meses em Londres e esqueci que o sinal aqui é péssimo — ele fala, como se estivesse se desculpando. Depois arranca algumas frutinhas de um arbusto e me oferece. — Quer experimentar? São muito doces nesta época do ano.

Pego duas frutas da mão dele e vejo que o suco roxo já manchou meus dedos. Ponho as frutinhas na boca e confirmo. São deliciosamente doces, com uma nota ácida. Saboreio de olhos fechados.

— Se quiser, pode ir ao casamento comigo. Como minha convidada. A Jane não vai se incomodar, já falei com ela.

Abro os olhos, assustada, e engulo o que resta das frutinhas o mais depressa possível.

— Ah, não, eu não posso, eu... eu tenho que ajudar a minha mãe. É por isso que estou aqui.

— Bem, pelo menos vá ao baile de máscaras. Não vai ter nada para fazer à noite. Faço questão.

Torço o nariz.

— Sempre tem alguma coisa para fazer no dia de um casamento, mas... vou ver se sobra algum tempo.

— Legal. — Ele se aproxima de mim. — Seria horrível saber que está ali tão perto e não poder te ver. — Ele toca meu queixo. — Tem suco de amora aqui — diz, limpando o canto da minha boca.

Depois se inclina e me beija de novo.

E eu fico furiosa por não sentir nada.

23

Meu despertador toca às seis da manhã, e eu acordo, sonolenta.

— Vamos, raio de sol! — Elliot enfia a cabeça na fresta da porta, animado demais para a hora. Mas ele está diferente desde que chegamos. Mais animado. Mais feliz. Mais como o velho Elliot. E ele me trouxe uma xícara de chá, e não dá para ficar brava por muito tempo depois disso.

— Você está tão animado que qualquer pessoa ia pensar que é o dia do *seu* casamento! — comento, rindo.

— *Queriida,* se fosse o dia do meu casamento, eu estaria subindo pelas paredes! Além do mais, eu nunca poderia pagar por uma coisa tão extravagante, mas vou adorar ajudar a sua mãe a organizar tudo. Ela é um gênio!

— Eu sei — respondo, sorrindo. — Mas temos mesmo que usar fantasia? — No canto do quarto, em cima de uma cadeira, está a monstruosidade roxa de veludo amassado que vou ter que usar durante a maior parte do dia. Quando minha mãe me mostrou a roupa na noite passada, quase liguei para o Callum e aceitei o convite dele, só para poder usar roupas *normais.* Mas eu não podia desapontar minha mãe, mesmo que ela me obrigasse a usar um figurino "historicamente preciso" para a cerimônia.

Isso não devia ser surpresa para mim. Tive de vestir um uniforme de garçonete em Nova York. Pelo menos aquele figurino era preto, criado para não chamar atenção. Esse vai causar comoção. O figurino de Elliot e Alex também tem um tema histórico semelhante, mas eles vão ficar muito bem de kilt, é claro. Já imagino os convidados apontando e cochichando, querendo tirar fotos com a gente.

O pior é que não vou poder levar minha câmera. Jane contratou um fotógrafo (e cinegrafista) de casamentos mundialmente famoso para o grande dia, e ele vai trazer dois assistentes, o que significa que meus serviços não serão necessários. Além do mais, a Canon ia destoar da minha fantasia.

É pela minha mãe, pela minha mãe, pela minha mãe, continuo pensando.

— Você vai ficar linda — diz Elliot, seguindo a direção do meu olhar e notando minha careta. — Mas a sua mãe disse que talvez você precise de ajuda com o espartilho, por isso estou aqui!

— Ah, não! — A ideia de passar o dia todo de espartilho me faz gemer.

— Ei, ei, tem mais uma coisa que pode te animar. — Ele me mostra uma máscara exótica de filigranas douradas com duas fitas de veludo vermelho, uma de cada lado, para amarrar. Fico impressionada com a beleza da peça.

— Desde que você me contou ontem à noite que iria ao baile, achei que ia precisar de uma máscara à altura.

Pego a máscara das mãos dele e a seguro delicadamente, como se ela pudesse desintegrar a qualquer momento entre meus dedos.

— É linda. Onde a conseguiu?

— Ah, você me conhece. Eu sempre tenho uma carta na manga.

Abraço Elliot.

— Obrigada!

— Não tem de quê. Agora vem, põe o vestido!

Demora uma boa meia hora para colocar o vestido e amarrar todas as rendas, fitas e laços. Quando terminamos, eu pareço uma autêntica jovem escocesa do século XVII.

Elliot sai correndo, porque ele e Alex precisam se arrumar, e minha mãe me chama da escada.

— Penny? Está pronta para ir para o castelo?

Dá para perceber que ela está agitada, porque sua voz soa nervosa e aflita.

— Estou indo! — respondo e desço a escada tão depressa quanto permitem meus chinelos de tecido.

— Penny, que linda! — diz minha mãe. Ela não está fantasiada. Vestiu um tailleur cinza muito elegante, sua melhor roupa de cerimonialista, ótimo para circular entre os convidados, mas confortável o bastante para correr e resolver problemas o dia todo.

Andrea, assistente da minha mãe, usa um figurino como o meu. Vamos andar entre os convidados, enriquecendo o cenário enquanto fazemos nosso papel de personagem histórico, mas também resolvendo problemas que possam aparecer. Resumindo, seremos os olhos e os ouvidos de minha mãe na cerimônia.

* * *

Quando chegamos à capela, a primeira tarefa que Andrea e eu recebemos é acender todas as velas, uma por uma, sem atear fogo às saias de veludo roxo. Não demora muito para os convidados começarem a chegar, mas estamos ocupadas demais ajudando minha mãe com os detalhes de última hora para prestar atenção neles e, como sempre, o dia passa rapidamente.

Assim que a noiva chega, o corre-corre é intenso, e, antes que eu me dê conta, os noivos já fizeram seus votos, o padre já os declarou marido e mulher, e eles saem para tirar as fotos.

Não sei bem como, mas consigo passar a maior parte do tempo fora da vista de Callum, embora ele tenha me encontrado uma vez, e juro que o vi cobrir a boca para esconder o riso. Penso em mostrar a língua para ele, mas isso não seria muito elegante.

Só depois que todos se sentam para o desjejum nupcial, minha mãe e sua equipe de ajudantes podem parar e descansar por alguns instantes.

Minha mãe agora parece mais tranquila e satisfeita com o andamento do dia.

— Pode ir, Penny — ela diz. — Vai trocar de roupa. — Enfia na boca um canapé de Sadie Lee que sobrou na bandeja.

— Sério? Não precisa de ajuda para a próxima etapa?

— Acho que está tudo organizado. Obrigada. — Ela me dá dois beijos no rosto. — Agora vá se divertir. Não precisa mais se preocupar com nada, está bem?

Assinto com a cabeça e a abraço com força.

— Obrigada, mãe.

Quando saio do castelo, sinto o ar bem mais frio. Atravesso a ponte e volto ao chalé. Pela primeira vez no dia me sinto grata pelas camadas de saiote embaixo do vestido. Ajeito o xale xadrez sobre os ombros para me aquecer.

No chalé, percebo de repente que não sei o que vestir para o baile. Examino as opções: não trouxe nada apropriado para uma noite de gala, e só tenho um vestido preto simples. É bonito, com mangas de renda em padrão de rosas, mas não tem nada de grandioso. No entanto, é a única coisa que eu tenho.

Então me lembro da máscara que Elliot me deu de manhã. Eu a pego da embalagem de papel de seda e a coloco. É uma surpresa senti-la tão leve no rosto. As fitas de veludo são macias, e adoro como o dourado da máscara destaca o avermelhado do meu cabelo. Olho para o espelho e admiro como o adorno eleva meu vestido para um traje digno de um baile.

Você é a Garota Outono, penso. Afasto o pensamento da cabeça. Não quero ser a Garota Outono. Não quero ser só a letra de uma música. Quero ser amada por quem eu sou. Em um relacionamento de igualdade.

Talvez o Callum seja essa pessoa. Talvez não. Mas isso realmente importa? Quero poder cometer erros. Quero mergulhar de cabeça sem me preocupar com as consequências. Quero fazer papel de boba e não sentir vergonha.

Ajeito a frente do vestido.

— Você está linda — diz uma vozinha na porta.

Sorrio para Bella.

— Pensei que estivesse na cama, mocinha — respondo.

Ela está descalça e de camisola. Eu a abraço e a pego no colo.

— Não gosto do meu quarto. Ele me dá medo — ela murmura.

— Ah, não se preocupe. Eu volto logo para te proteger.

— Está bem. — Ela apoia a cabeça no meu ombro. — Estou com saudade do No-no.

Eu me sobressalto e sinto o peito apertado, como se alguém agarrasse o meu coração. *Noah*. Afago o cabelo dela com a mão livre.

— Eu sei, Bella. Eu também estou.

24

Em pouco tempo, Bella está roncando baixinho no meu ombro, respirando profundamente. Eu a levo de volta para o quarto dela, a deito na cama e beijo sua testa com delicadeza. Quando estou atravessando a sala na ponta dos pés, aceno para Gemma, que foi encarregada de cuidar de Bella esta noite, e levo um dedo aos lábios para indicar que ela dormiu. Gemma levanta o polegar, depois o outro para o meu vestido.

Sorrio e aliso a frente de renda.

Não posso mais perder tempo. Visto o casaco, ponho o cachecol e atravesso novamente a ponte.

Agora que a noite caiu, a atmosfera no castelo é completamente diferente. Minha mãe substituiu as velas brancas por pretas, e tecido vermelho recobre as paredes onde antes havia branco. A noite gótica de Jane está ganhando vida. Chego a ter a impressão de que vou ver fantasmas pairando pelos salões ou que as armaduras vão esticar os membros recobertos de metal. Fico feliz por Bella estar na cama. Ela não ia gostar de ver isso.

Ouço o quarteto de cordas tocando em algum lugar e me deixo levar pela música. Mais tarde vai ter música eletrônica, mas, por enquanto, a música ambiente é mais refinada. As risadas dos convidados se misturam à música sombria, e fico feliz por todos estarem se divertindo. Minha mãe vai ficar satisfeita e aliviada.

Entro na sala de jantar e fico impressionada. O lugar está completamente transformado para a noite. Milhares de velas foram postas em alturas diferentes pelas paredes e projetam sombras tremulantes no teto. Muitos convidados estão dançando, valsando pela pista, e os que não estão se servindo no maravilhoso bufê preparado por Sadie Lee estão admirando o lindo bolo preto e branco. Os noivos o cortarão juntos mais tarde.

— Penny, te achei — diz uma voz.

Callum sai das sombras com o rosto escondido pela máscara verde-esmeralda. A combinação de máscara e smoking é belíssima.

— Oi, Callum — respondo com um sorriso sincero.

— Sua mãe fez um trabalho incrível. Acho que nunca vi a Jane tão feliz.

— Ah, que bom. Vou dizer a ela. — É óbvio que Callum quer dançar, ele já está se balançando ao som da música, mas ela é muito lenta. Não quero dançar algo tão... romântico. Olho em volta e vejo Elliot e Alex em um canto. — Ei, quer conhecer meus amigos? — pergunto.

Ele hesita, mas dá de ombros.

— É claro.

— Legal. — Seguro a mão dele e o levo na direção de Alexiot. Eles estão conversando e nem notam a movimentação em torno deles, até que consigo atrair o olhar de Alex. A surpresa em seu rosto faz Elliot virar.

— Penny! — Elliot sorri.

— Adorei o seu vestido. — Ele me dá dois beijos no rosto e afaga meu braço. — E quem é este?

Callum estende a mão antes que eu possa responder.

— Callum McCrae.

— Oi, muito prazer. — Elliot estuda Callum da cabeça aos pés sem disfarçar. Quando Callum vira para apertar a mão de Alex, Elliot levanta o polegar atrás dele em sinal de aprovação.

Infelizmente, porém, minha técnica de distração não dura muito tempo, porque Callum se anima ao perceber que a música mudou. Ainda é lenta. Sufoco um suspiro.

— Vamos dançar? — ele pergunta.

— Vamos — respondo.

— Ótimo, porque estou esperando por isso a noite toda.

Ele beija minha mão e me leva para o meio da pista de dança.

A música é lenta e, por não saber dançar valsa e me sentir desajeitada, acabamos só balançando o corpo de um jeito meio estranho.

— Gostei muito do nosso passeio ontem — ele fala perto da minha orelha.

— Eu também.

— Espero que não se incomode por eu ser assim tão direto, Penny, mas eu gostei de você — ele continua e entrelaça os dedos nos meus. — Eu... queria saber se também sentiu a mesma coisa.

Sinto meu rosto vermelho atrás da máscara e não sei o que dizer. Os olhos dele estudam os meus, e sei que ele espera ver seus sentimentos refletidos, mas a verdade é que não sinto a mesma coisa.

— Callum, eu... eu...

Antes que eu possa terminar de responder, alguém bate no ombro dele. Callum fica tenso e para de dançar, mas não me solta.

— Posso interromper? — pergunta uma voz. Uma voz com sotaque americano.

Meu coração falha, depois volta a bater acelerado. Não é... Não pode ser...

Mas é.

É Noah Flynn.

25

— Posso interromper?

As palavras de Noah ecoam em meus ouvidos.

— Ah, tudo bem — responde Callum. Ele é educado demais para recusar. As sobrancelhas se aproximam por trás da máscara. *A máscara!* Viro a cabeça e olho para Noah. Ele também está mascarado, e a máscara preta cobre a metade superior de seu rosto. Callum não o reconhece. Acho que não.

Antes que eu consiga recuperar a fala, Callum se afasta e Noah segura minha mão, enquanto enlaça minha cintura com o outro braço. Ele me conduz num giro, e a cada volta eu vejo a constatação se instalando no rosto de Callum.

— Oi, Pen — Noah fala em voz baixa com aquele suave sotaque americano.

Encosto o rosto em seu ombro, me apoio em seu abraço quente e fecho os olhos. Arrepios percorrem minha pele da cabeça aos pés como uma corrente elétrica, e as pessoas que dançam à nossa volta se transformam em um borrão. Sou tomada por uma calma estranha, por um imenso alívio. Ele está bem, não aconteceu nada de mal com ele.

— Senti a sua falta — ele diz.

Eu tinha esquecido como senti a falta dele também.

Não só como namorado, mas como amigo, de tê-lo por perto, sentir o cheiro de seu cabelo, o toque de sua pele... Tudo bem, talvez *mais* como namorado. Esqueci como é perfeito o encaixe da minha cabeça na curva do seu pescoço, e como é reconfortante sentir a sua mão envolvendo a minha, os dedos com os calinhos de tocar violão segurando os meus. O jeito como ele sorri, com aquelas covinhas lindas, os dentes perfeitamente alinhados. E como os grandes olhos castanhos se cercam de linhas finas quando seu rosto se ilumina. Esqueci que ele tem cheiro de chuva, couro e um toque de almíscar.

— Eu voltei — ele diz.

A realidade também volta como um balde de água fria sobre minha cabeça. Noah *foi embora*, deixou só um bilhete e ignorou todas as minhas mensagens. Egoísta, me deixou plantada enquanto ia dar um tempo, sem pensar na família ou em mim...

E agora ele aparece? Justamente quando eu estava pensando em seguir em frente?

Ele afaga meus dedos.

— Não vai falar nada? — pergunta.

E essa é a gota d'água. Paro de dançar e recuo um passo. Franzo a testa e o encaro, mas tenho de desviar o olhar para não perder a coragem.

— O que está fazendo aqui? — pergunto.

As mãos dele se estendem em minha direção, como se quisesse me abraçar de novo, mas eu não me aproximo. Em vez disso, cruzo os braços.

— Eu queria te ver — ele responde.

Acho a resposta bem fraquinha. Em algum lugar atrás de Noah, sinto o olhar fixo de Callum, e a sala não é mais um borrão. Tudo recuperou a nitidez e a música é alta.

— Depois de todo esse tempo? Simplesmente aparece do nada e acha que tudo vai ser como era?

Ele abre a boca, mas não fala nada. Não me importo. Sinto a fúria queimando em minhas veias, fazendo minhas bochechas formigarem. Como ele se atreve? Noah nunca me viu nesse estado. Ele está... chocado.

Sinto a mão reconfortante em meu ombro. Elliot.

— Tudo bem, Penny?

Balanço a cabeça. Ele olha para Noah.

— Você não devia estar aqui — ele diz, e seu tom é muito mais gentil do que teria sido o meu.

— Desculpa, Penny. Eu não queria te magoar... — Noah murmura. Eu também nunca o vi deste jeito: se desculpando, com medo da minha reação.

Quero dizer para ele ir embora. Quero dizer que vou lidar com isso quando voltar para casa, não no meio de um *casamento*. É nesse momento que levanto a cabeça e vejo Jane ao lado do bolo, apontando para nós, a fisionomia contorcida de raiva. Callum está ao lado dela. Sinto que meu rosto perde a cor.

— Estamos causando uma cena — falo para Noah, entredentes.

— Tem algum lugar onde a gente possa conversar? — ele pergunta.

Relutante, assinto com a cabeça.

— Tem certeza, Penny? — diz Elliot.

— Eu estou bem, sério — respondo e forço um sorrisinho.

— Se precisar de alguma coisa, é só mandar uma mensagem. Vou estar bem aqui.

— Obrigada.

Mas já demoramos demais. Um membro da equipe de segurança se aproxima, seguido de Callum. O segurança bate no ombro de Noah.

— Com licença, senhor. Tem convite?

Noah vira, assustado, depois endireita as costas.

— Minha avó é responsável pelo bufê.

— Está na lista do staff, então?

— Não...

— Nesse caso, vou ter que pedir para se retirar. Agora.

— Já estávamos saindo. — Olho para Noah. — Vamos.

— Você não, Penny — Callum diz. — É só o penetra que tem que ir embora.

— Eu sei. Mas na verdade eu não estava me sentindo muito bem. A gente se vê amanhã? — Antes que ele possa tentar me fazer mudar de ideia, eu me afasto, andando na direção da porta que leva à entrada do castelo. Não olho para trás para ver se Noah está me seguindo, mas ouço os passos dele no piso de pedras quando nos afastamos do salão.

Empurro a pesada porta de madeira da entrada e continuo em direção à ponte que liga a ilha ao continente. Está chovendo — *típico* — e ventando, mas não tive tempo para pegar meu casaco antes de sair da festa. Envolvo o corpo com os braços ao perceber que está frio.

A chuva cola meu cabelo no rosto, e o vento abafa o som dos passos de Noah atrás de mim.

Pulo, assustada, quando ele me cobre com alguma coisa quente.

— Fica com o meu paletó — ele diz.

Mas empurro o agasalho.

— Não! — grito no vento. Viro e o encaro, olhando em seus olhos com toda a ousadia de que sou capaz. — Você não só voltou fingindo que estava tudo bem. Você foi embora e só deixou uma porcaria de bilhete.

— Eu sei...

— Ignorou minhas mensagens.

— Eu sei...

— Disse para a sua *avó* para eu não te procurar. Sei que não sou mais sua namorada, mas podia ter mandado notícias para as pessoas que te amam, avisado que estava bem.

— Penny...

— Por que está aqui? — Começo a tremer, primeiro devagar, mas meus sapatos começam a ficar encharcados, e nem o paletó de Noah teria me protegido do vento que sopra na costa.

— Só me dá uma chance para explicar, e eu conto tudo.

Nós nos encaramos, e o momento se prolonga como se fosse durar uma eternidade.

Eu interrompo o contato visual.

— Tudo bem — concordo. — Vamos entrar.

26

Abro a porta do chalé e o levo até a sala de estar.

— Tudo bem, Gemma — falo quando ela levanta os olhos do livro. — A gente cuida da Bella agora, se quiser ir para casa mais cedo.

— É claro. — Ela olha para Noah com curiosidade, mas não fala nada. Sei que já ouviu falar muito do famoso neto de Sadie Lee, mas ela é uma assistente boa demais para mencionar alguma coisa. — Até amanhã — diz, vestindo o casaco a caminho da porta e da chuva.

Um fogo brando crepita na lareira, e Noah se ajoelha diante dele para acrescentar mais lenha e reavivar as chamas. Eu me sento no sofá, tremendo incontrolavelmente. Em seguida me cubro com a manta de pele falsa do encosto e suspiro ao sentir seu calor.

— Quer alguma coisa? — Noah pergunta depois de reanimar o fogo. — O que os ingleses bebem nesse tipo de situação? Uma xícara de chá?

Balanço a cabeça.

— Não quero chá. — Chuto os sapatos dos pés e deixo os dedos dentro da meia fina afundarem nas cerdas altas do tapete. O sofá afunda ao meu lado quando Noah se senta, mas não olho para ele. Ainda estou olhando para o chão quando ele começa a falar.

— Penny, quero te explicar tudo. Então, vou começar do início. Depois de te deixar em Brighton, a turnê não foi mais a mesma. Eu me sentia no piloto automático, como se estivesse vivendo aquela incrível oportunidade e vendo tantas coisas fantásticas, mas só quisesse voltar para a Inglaterra e para você. Mas eu sabia que não era justo. Nós tínhamos concordado que seríamos amigos, e eu precisava respeitar o seu espaço. Devia isso a você, mesmo que não conseguisse te tirar da cabeça nem por um segundo sequer. Minha nova empresária é ótima, aliás. Fico te devendo essa. Você precisa conhecer a Fenella qualquer dia. É minha empresária nova. Você vai gostar dela. A Fenella percebeu que eu estava deprimido e sugeriu que eu compusesse um pouco enquanto viajávamos. Material novo. Mas eu não consegui. Foi... assustador. Não, mais do que isso, foi aterrorizante. Eu mal conseguia tocar uma nota; minha cabeça estava vazia; eu tinha todos aqueles sentimentos, mas não compunha nada. Quando a Fenella percebeu que não estava dando certo, ela começou a me mandar músicas de outros artistas para ver se eu encontrava meu próximo single. Mas eu não queria ouvir nada. Até minhas apresentações ficaram horríveis. E a partir daí a coisa só complicou. Uma noite, antes de um show, eu comecei a beber. Fiquei tão bêbado que não consegui continuar. Tiveram que inventar uma desculpa. Foi quando eu soube que tinha que parar e disse para a Fenella que precisava de um tempo.

Olhei para Noah, para seus olhos castanhos.

— Eu não sabia que as coisas tinham ficado tão difíceis. Você podia ter me contado. Mesmo que não... que a gente não... — Nem sei como descrever o que somos. Desisto de tentar. — Você podia ter me ligado, e eu teria ido te ajudar.

Ele sorri.

— Eu sei. É claro que eu sei, mas também não era certo. Nós demos um tempo porque precisávamos descobrir quem somos sem o outro.

Penso no meu estágio com François-Pierre Nouveau, em viajar para Londres sem ansiedade. Penso na minha nova amizade com Posey. Penso nas fotos que tirei enquanto tentava encontrar meu estilo. Cresci muito nos últimos meses que passei longe dele. Mas isso também tem a ver com a confiança que ele me deu. Sei que não teria conseguido sem ele. Mas não acho que esta é a hora certa para dizer isso ao Noah. Fico quieta e deixo que ele continue falando.

— Eu desisti da turnê. Eu precisava ir para algum lugar onde encontrasse inspiração e não queria que ninguém soubesse onde eu estava. Nem a Sadie Lee. Nem você. Só a Fenella sabia, mas ela também tinha ordens para só me incomodar em caso de extrema urgência.

— E funcionou?

— Sim. Não no começo, porque eu estava péssimo. Eu ficava o tempo todo jogado no sofá vendo filmes da Netflix, me preocupando com as consequências de ter abandonado a turnê, pensando se algum dia eu voltaria a ser convidado para participar de uma banda. Então, alguma coisa se encaixou. Talvez eu tenha comido queijo quente demais ou assistido a muitos episódios seguidos de *Breaking Bad*, mas eu cansei de mim. Disse a mim mesmo que não poderia voltar ao mundo real sem ter pelo menos cinco músicas que eu amasse. E escrevi, escrevi e escrevi. Foi como um delírio de febre. Eu não conseguia parar. Lembrei como era ser criativo, ter foco. Há alguns dias, terminei e decidi que estava pronto. Fiz umas vinte músicas que odiei, dez de que gostei e cinco que *amei*. Eu estava pronto para voltar ao mundo. Eu entrei em contato com minha avó primeiro. Foi desse jeito que eu soube que ela estava em Brighton com a Bells. Ela me falou sobre a Escócia. Então decidi vir e fazer uma surpresa para você.

— Quer dizer que isso não tem nada a ver com o Callum?

— Callum? Quem é Callum? O cara com quem você estava dançando?

Apesar de não ter nada de que me envergonhar, sinto meu rosto queimar.

— Não interessa — resmungo.

— Penny, tudo bem. Eu entendo. Eu já tinha imaginado que você encontraria outra pessoa. Eu não podia achar que ia ficar me esperando, isso nem seria justo. Ele é um cara de sorte...

— Não, não tem nada a ver... — Penso em como explicar, mas é muito complicado. Balanço a cabeça. — E aí, o que nós somos? O que você quer, afinal?

Ele segura minha mão.

— Eu quero o que você quiser. Só quero estar na sua vida de novo. E que você também esteja na minha. Se for como seu namorado, ótimo!

Se for só como amigo, eu consigo viver com isso também. Na verdade, já provei para mim mesmo que não sou capaz de viver *sem* isso.

São as palavras que eu quis escutar durante muito tempo. Mas sei que não posso me precipitar e começar um relacionamento de novo. As mesmas questões que nos afastaram pela primeira vez, nossas carreiras, a fama de Noah e, acima de tudo, a distância, tudo continua como antes. Nada mudou. Mas amiga dele? Isso eu *posso* ser.

Agora que estamos aqui, longe da festa e de toda aquela gente, relaxo e minha raiva se dissipa. O que eu sei sobre a pressão que Noah enfrenta? Fico feliz por ele estar aqui agora. Seguro. Feliz. E estamos bem.

— É claro que eu quero ser sua amiga — declaro. — Eu também não conseguiria viver sem isso.

— Beleza. — Ele sorri, e parece um sorriso sincero, mesmo que haja uma sombra de decepção em seus olhos. — E se algum dia você quiser mais alguma coisa...

— Eu te aviso.

Não consigo mais me conter. Inclino o corpo para a frente e o abraço. Ele afaga minhas costas, e por um instante tudo parece normal e certo outra vez no mundo.

— Você ainda é tudo para mim, Penny — Noah sussurra em meu cabelo. — Minha garota para sempre.

27

Quando acordo sob o dossel na manhã seguinte ao casamento, eu me sinto nadando em uma suave luminosidade dourada. A céu lá fora é cinza-rosado, e partículas de poeira cintilam nos raios de sol que ultrapassam as nuvens. O chalé está silencioso, como se respirasse fundo depois da loucura da noite anterior. Também está mais frio. Puxo as cobertas até o queixo e me encolho para reter o calor. Ainda não quero levantar.

Viro de lado e vejo a máscara dourada de ontem jogada próxima da cama.

Ontem.

Um dia que passou em um instante, mas pareceu durar uma eternidade.

Não acredito que Noah e eu estamos dormindo sob o mesmo teto de novo. Ele acabou ficando no quarto com a Bella. Ele voltou. Quase preciso me beliscar para ter certeza de que não é um sonho.

Lembro da conversa que tivemos na noite passada, e um calor se espalha pelo meu corpo. É *bom* tê-lo de volta. Mas algo no que ele disse não encaixa. Noah realmente apareceu bem na hora em que eu estava dançando com outro cara? Ele não tinha como saber que eu não estava interessada, que eu teria acabado com aquela história antes de ela ter chance de começar. Ele não tinha como saber que Callum não era a pessoa certa para mim. Ele disse que não tinha problema, que até *esperava* aquilo, mas como isso é possível?

Como ele podia pensar que eu estava pronta para...?

E, se eu estivesse pronta, por que ele achou que podia aparecer e estragar tudo?

Percebo que não superei seu "sumiço" como acreditava ter superado. Sim, estou feliz por ele ter voltado. Mas, definitivamente, não estou pronta para ir além dos votos de uma amizade renovada.

Além do mais, não consigo superar a sensação de que tem alguma coisa que ele não me contou. Alguma coisa importante. Uma peça que falta e que faria toda essa história de sumiço se encaixar melhor.

Meu celular vibra e, relutante, estico um braço para fora do cobertor para pegá-lo em cima do criado-mudo. Tenho algumas mensagens para ler. São de Megan, Callum e minha mãe. Mas a última é de Elliot. É a que eu abro primeiro.

Está acordada, minha mocinha escocesa?

Sim!

Sento na cama no mesmo instante em que ouço as batidas na porta.

— Entra!

A cabeça de Elliot aparece na fresta, depois ele entra silencioso como um rato. Deixa duas xícaras de chá em cima do criado-mudo e deita embaixo do cobertor ao meu lado.

— E aí, o que aconteceu? Conta! Pennoah voltou?

Jogo o travesseiro nele, mas Elliot se esquiva e sorri, triunfante.

— Pennoah não existe. Nem o nome NEM o relacionamento.

O sorriso de Elliot se transforma imediatamente em uma testa enrugada de preocupação.

— Está tudo bem?

— Sim, eu estou bem. Fui eu que tomei a decisão.

— Sério? O que ele disse sobre esse tempo que passou longe?

— Na verdade, parece que as coisas ficaram megacomplicadas, e ele precisou dar um tempo.

Elliot faz uma careta.

— Bem, se ajudou, talvez tenha valido a pena o problema que causou — ele diz.

— O Noah disse que foi só coincidência ele ter aparecido para conversar ontem à noite.

— Ah, é claro — Elliot responde, rabugento. — Ele entrou e, por acaso, você estava dançando com o Callum, que você tinha acabado de apresentar a *moi*. Coincidência? Acho que não.

— Foi o que ele disse.

— Hum. É por causa do Callum que você não quer reatar o namoro com ele?

Balanço a cabeça.

— Não. Para ser sincera, acho que o Callum não é a pessoa certa para mim, e eu já sabia disso antes de o Noah aparecer. Vou ter que encontrar um jeito de falar isso para ele sem o magoar.

— Então, é não Callum e não Noah?

— É mais ou menos isso. Por enquanto, vai ser *só Penny*.

— Bom, *só Penny* é ótimo. Alexiot vai te apoiar sempre e em tudo. Talvez você possa ser PenPo...

— Não preciso de um apelido para um relacionamento comigo mesma!

— Por que não? Pode começar uma nova tendência "solteira e adorando"! Imagina todas as celebridades adotando a moda. *LeaBro, TaySwi, HarSty*...

Bato nele com o travesseiro de novo e de novo, e Elliot continua gritando nomes de celebridades, até nós dois termos um ataque de riso.

Agarro a mão dele.

— E aí, a Escócia foi legal para você?

Ele afaga minha mão de volta.

— Sim. O Alex e eu estamos nos divertindo pra caramba e ainda tem muita coisa para ver. Estou ansioso para ir à ilha de Skye e ver o que mais a Escócia tem para oferecer. E já falei com a sua mãe. Ela concordou que eu fique na casa de vocês até tudo se acertar na minha casa. Mandei uma mensagem para a minha mãe contando o plano. Ela não ficou feliz, mas não vai impedir nem está exigindo que eu volte. Acho que meio que recuperou a razão.

— Que bom.

— Só preciso de espaço para respirar. Aquela casa me sufoca. E então, o que você vai falar para o Callum?

— Nem imagino.

— Pelo pouco que eu vi dele, acho que não é o tipo de cara que está acostumado a ser rejeitado.

— Entendo o que quer dizer. Que pena.

De repente, Elliot senta na cama e fareja o ar como um cão perdigueiro.

— Esse cheiro é de bacon? Vem, vamos tomar café.

Uma conversa animada acontece na cozinha quando descemos, mas tudo para no momento em que entramos. Meus pais, Sadie Lee e Alex olham para mim. As únicas pessoas que não estão lá são Noah e Bella.

— Bom dia — falo com toda a animação de que sou capaz.

— Tudo bem, querida? — minha mãe pergunta.

— Tudo ótimo. Nunca estive melhor. Ah, pai... isso é ovo?

Felizmente, todos voltam a conversar, agora que viram que estou bem, que não sou um desastre emocional. Por dentro, a história é outra. Meus ouvidos estão aguçados para qualquer ruído semelhante ao dos passos de Noah na escada, meus olhos esperam ver os cabelos castanhos surgindo. Mas é meu olfato que registra o primeiro sinal. O perfume de Noah invade a cozinha (mais forte até que o cheiro de bacon), e meu coração dispara.

— Bom dia, todo mundo — ele cumprimenta de um jeito casual, como sempre.

— Noah! — Minha mãe se levanta da mesa e dá dois beijos entusiasmados em seu rosto. Ela deve ter chegado tarde na noite passada, por isso ainda não tinha tido chance de cumprimentá-lo. — Que bom te ver de novo. Espero que esteja... pronto para outra?

— Sim, obrigado, Dahlia. E também morrendo de fome. O que tem aí para o café, Rob?

Minha mãe ri.

— Senta, Noah. O café está quase pronto. Infelizmente, não posso ficar e comer com vocês, porque tenho que voltar e deixar o castelo em ordem. Preciso ter certeza de que nenhum desastre aconteceu ontem à noite.

— Precisa mesmo sair correndo, mãe?

Ela suspira de um jeito dramático.

— Sim. Mas te vejo antes de você sair com o Elliot e o Alex.

— Beleza!

Noah olha para mim.

— Você vai sair?

— O Alex e o Elliot planejaram uma viagem de carro no último dia deles aqui e me convidaram para ir junto, em vez de voltar para casa hoje com os meus pais.

— Ah, que legal.

Ai, meu Deus, será que eu convido ele? De repente tenho um sobressalto.

Mas é meu pai quem fala em seguida.

— O que você está pensando em fazer, Noah? — ele pergunta.

— Não sei. Preciso conversar sobre algumas coisas com a minha avó, então vou dar um tempo por aqui. Depois, acho que vou embora para cuidar da reserva do estúdio de gravação e trabalhar nas músicas novas. Pensei que teria um tempo para conversar com a Penny, mas parece que ela não vai estar por aqui...

O Noah já vai voltar para Nova York? Meu coração fica pesado, embora eu não consiga identificar se o que sinto é tristeza ou alívio. Não sei o que falar, mas um zumbido alto interrompe a conversa. Salva pelo celular. De novo. Sinto que Noah está olhando para mim enquanto leio a mensagem.

— Ah, uau! — exclamo.

— Que foi? — pergunta Elliot.

— É a Posey! Acho que o encontro com a Leah a ajudou!

Viro o telefone para Elliot ler a mensagem.

Penny! Adivinha? Fizemos o primeiro ensaio com figurino ontem, e vários veteranos da escola foram convidados pra termos uma plateia de verdade. E... EU CONSEGUI! SEM MEDO DO PALCO!

— Bom trabalho! — Elliot aprova.
Não consigo parar de sorrir.
Digito uma resposta.

Que incrível! Como conseguiu?

Foi estranho... fiz aquilo que a Leah falou, sobre me sentir uma árvore. E funcionou. Imaginei a árvore crescendo dentro de mim, me prendendo no palco. Depois, quando chegou a minha hora de entrar em cena, não fiquei com medo. Em vez de me preocupar em decepcionar alguém, tive certeza que não estava sozinha ali: eu era parte de um grupo, estava me juntando aos outros quando entrei no palco. Acho que isso me apavorava um pouco, pensar que o foco estava todo em cima de mim. Mas um espetáculo envolve todo mundo, né? A Leah me fez perceber que, como cantora solo, ela enfrenta muito mais pressão do que eu, por isso é muito mais corajosa.

Que bom que encontrou um jeito de atuar. Mas não pense que não é corajosa como a Leah. Ela é ótima, e você também é! Isso quer dizer que vai ficar com o papel?

Talvez!

Bom, acho que isso é muito melhor do que a
certeza que você tinha de recusar. ☺☺☺

— Queria poder vê-la e dar um abraço nela — falo.

— Quem é Posey? — pergunta Noah.

— Ela é... — Como posso explicar para ele tudo que aconteceu no último mês? Percebo que muita coisa mudou enquanto Noah esteve fora. Estou com dificuldade para falar com ele... até olhar para ele é difícil. De repente, as emoções que mantive represadas durante tanto tempo afloram.

— Eu... eu...

Não consigo mais ficar perto dele. Empurro a cadeira para trás, pego meu casaco e saio correndo da cozinha. Corro para fora do chalé e continuo correndo até chegar à beira do lago, onde caio contra a mureta de pedra da ponte.

Lágrimas fazem meus olhos arderem, e digo a mim mesma para não ser tão boba: as lágrimas são resultado do vento que sopra da água. *Você teve meses para superar isso, Penny Porter.*

Ele quer você de volta, responde outra voz dentro de mim, menos sensata que a primeira. *Devia estar com ele. É assim que tem que ser.*

Mas ele foi embora, retruca a primeira voz com firmeza, *e você está bem sozinha. Você é PenPo, lembra?*

Olho para o meu reflexo. Meu cabelo avermelhado brilha sob o sol matinal, dança ao vento forte. À minha volta, as árvores na floresta criam uma moldura de tons queimados de laranja, bronze e vermelho.

É outono e eu sou sua Garota Outono. Mas, se isso é "para sempre", ainda vou ter que esperar para ver.

28

Quando volto ao chalé, evito a cozinha e subo a escada direto para ir me esconder em meu quarto. Mas Elliot logo aparece por lá e diz:

— O Noah saiu com a Bella e a Sadie Lee, se quiser descer.

— Valeu, Wiki. — Pego um fio solto no cobertor e mantenho a cabeça baixa. Sinto o colchão se mover quando Elliot senta ao meu lado.

— Escuta, eu e o Alex não vamos ficar chateados se você quiser voltar com os seus pais. Sei que esses dias têm sido difíceis para você. Assim você vai poder lidar melhor com, você sabe, *O retorno de Flynn*.

— Sério? — Levanto a cabeça.

— Sim, é claro — ele responde com gentileza.

É como se Elliot lesse meus pensamentos. Não quero mais ficar aqui. Não quero nem estar em Brighton.

Sorrio, mas meu sorriso se transforma em uma careta.

— Também estou superincomodada em relação ao Callum — confesso.

— Ele te procurou?

— Sim, mandou mensagem perguntando se estou bem. Acho que tenho que me desculpar.

— Não tem nada, você não deve nada para ele. Mas isso pode fazer você se sentir melhor.

— Acho que você tem razão. Vou ver se o meu pai me leva até a casa dele antes de irmos para o aeroporto.

Elliot me abraça e eu o abraço de volta. Então levanta da cama e me deixa terminar de arrumar a mala. A única coisa que não consigo guardar (é só uma pequena mala para um fim de semana) é o que vesti na noite do casamento, por isso protejo o vestido com um saco próprio para roupas e o levo para baixo, pendurado no braço.

— Você vai com a gente, Penny? — minha mãe pergunta ao me ver na porta da cozinha.

— Se não tiver problema...

— É claro que não! — Ela beija minha testa e meu pai pega minha mala e a leva para o carro.

— Dá para parar na casa do Callum no caminho? Preciso falar com ele.

— Sem problema. Já pegaram tudo? Vamos sair logo.

— Tudo pronto! — confirmo.

Ajudo meus pais a terminarem de carregar o carro e me despeço de Alex e Elliot. Eu me sinto mal por não me despedir de Bella e Sadie Lee, mas sei que vou poder vê-las de novo antes de voltarem para Nova York.

No caminho até a casa de Callum, roo as unhas tentando decidir o que vou falar. Sei que preciso me desculpar por ter saído daquele jeito, mas devo pedir desculpas por não sentir a mesma coisa que ele?

Chegamos rápido demais, subimos a alameda e paramos entre os Range Rovers brilhantes. Meus pais dizem que vão esperar no carro, e fico agradecida por ter a desculpa do horário do voo para não me demorar.

Meus passos fazem barulho no cascalho quando caminho em direção à escada. Toco a campainha e espero, as mãos nos bolsos da frente do jeans.

Callum abre a porta, e deixo escapar um suspiro nervoso.

— Oi — falo depressa.

— Ah, oi — ele responde e se apoia ao batente. Noto que não me convida para entrar, mas não ligo.

— Então, vim pedir desculpas por ontem à noite. Aquilo foi muito... feio — declaro.

Callum descruza os braços e amolece.

— Vamos lá atrás. Se a gente entrar, meus irmãos vão atrapalhar a conversa. — Ele me leva para os fundos da casa, que se abre para um jardim e, além dele, para uma paisagem de campos que descem até o litoral por onde caminhamos antes. Ele se debruça sobre um portão de madeira e me junto a ele, para ver alguns carneiros que pastam na relva.

— E aí, você está bem? — Callum pergunta.

— Sim, estou. Fui pega de surpresa e não reagi bem na hora.

— Dá para entender. Aquele cara apareceu do nada. — Callum fecha a mão, mas relaxa em seguida. — Você e ele estão juntos?

— Não, não exatamente... não sei.

Ele vira de costas para o portão.

— Isso quer dizer que podemos sair de novo? — Ele me encara com os olhos brilhando.

Este era o momento que eu temia, mas sei que é melhor acabar logo com isso, como um curativo que a gente arranca de uma vez só.

— Preciso de tempo para pôr as ideias no lugar. Podemos ser só amigos?

Callum desvia o olhar, depois olha para o chão.

— Eu me contento com o que posso ter — diz. — Mas ainda vai me dar aquelas dicas sobre retratos, não vai? — Ele sorri para mim.

— Quando quiser. — Sorrio de volta, sentindo um enorme alívio e uma imensa gratidão por ele facilitar as coisas.

— Quer ir dar mais uma volta? Posso te levar para ver uma cachoeira aqui perto...

— Ah, eu não posso. Estamos indo para o aeroporto. Tenho que voltar para o carro ou vamos perder o voo.

Seu rosto muda, perde a alegria, e, pelo jeito como empurra o portão, percebo que está zangado de novo. Mas me convenço de que no lugar dele eu também estaria. Embora esteja tentando não lhe dar nenhuma esperança, sinto que talvez posso não ter sido muito clara.

— Tudo bem — Callum responde, e voltamos para o carro.

Ele acena quando vamos embora, depois minha mãe vira para trás.

— Foi tudo bem?

— É, foi — respondo e apoio a cabeça na janela. Com Callum não teve nenhuma cena, nenhum joguinho. Ele só queria me ver de novo. E com Noah? Ah, não sei o que sinto.

Meus pensamentos estão tão confusos que não sei nem por onde começar a pô-los no lugar.

Preciso me afastar de tudo isso e me concentrar no que me faz feliz, não no drama amoroso da minha vida.

Mas tenho uma ideia. E vou precisar da ajuda de Posey para colocá-la em prática.

29

De: Melissa.Iwobi@NouveauStudios.com
Para: Penny Porter

Penny, essas fotos ficaram simplesmente D.E.M.A.I.S. Acho que você tem uma oportunidade de desenvolver essa ideia. Continua trabalhando nela! Sei que vai chegar lá.

Mel xx

P.S.: Mostrei algumas dessas fotos para o FPN e ele aprovou com a cabeça, o que você SABE que significa que ele acha que está no caminho certo!

Fecho o e-mail e um sorriso se espalha por meu rosto. A mensagem de Melissa me dá a injeção de confiança de que eu precisava e a motivação para pôr meu plano em prática.

Conto a ideia para os meus pais durante o voo de volta, e estou tão distraída com como vou fazer tudo isso que mal penso na minha ansiedade. Posey, que acabou de sair de seu segundo ensaio sem pânico, aceitou me encontrar hoje à tarde. Pedi para ela ir comigo à Galeria Nacional, onde tive uma ideia para a série de fotografias que quero experimentar.

— Pode me contar *alguma coisa* sobre o seu projeto? — Posey pergunta.

— Por enquanto ainda é segredo — respondo. — Mas eu te conto na hora certa. Só presta atenção na galera com celular.

— Tudo bem, vamos lá.

Atravessamos a Trafalgar Square, que está lotada de turistas recostados nos degraus ou na base das enormes estátuas de leões em cada um dos quatro cantos. É possível identificá-los pelas câmeras obscenamente gigantes que levam penduradas no pescoço, e fico pensando quantos deles sabem usar o incrível (e caro) equipamento. Se meu sonho de ser fotógrafa profissional não se realizar, talvez eu possa dar cursos ou lecionar. Então, penso em todas as vezes que saí com minha câmera gigante. As pessoas podem ter me confundido com uma turista.

Quando subimos a escada da Galeria Nacional, Posey diz:

— Ainda não acredito que veio até aqui. Não devia estar em algum lugar da Escócia?

— Perto de Inverness. Mas tudo bem, o casamento já passou, e eu tinha mesmo que voltar. Além do mais, precisava muito sair de lá. — Mordo o lábio. — O Noah voltou.

— Voltou?

— Sim, mas não consigo lidar com ele, não como deveria.

— Ah. — Ela vê como fico vermelha e não insiste no assunto. — Que tal ali? — diz quando entramos na primeira galeria. Está apontando para um grupo de adolescentes que parece participar de uma excursão escolar. Quando nos aproximamos, escuto alguns deles falando em francês. Todos estão com o celular na mão, sentados diante de uma tela gigantesca do século XVI que retrata uma batalha.

— Isso é perfeito — respondo.

Ao meu lado, uma senhora olha feio para os estudantes e faz um *tsc, tsc* de reprovação para a amiga. Juro que escuto a mulher resmungar alguma coisa sobre "essa geração" antes de se afastar em direção à sala seguinte.

Ela se refere à nossa geração, aquela que está sempre com o celular na mão.

Porém, quando Posey e eu caminhamos para o outro lado do grupo, olho para a tela de alguns aparelhos e vejo que os estudantes estão usando um aplicativo da Galeria Nacional. Todos estão completamente concentrados no texto sobre a pintura que têm agora diante deles.

Hum, sim, "essa geração". A geração que está sempre com o celular na mão, usando o aparelho para se comunicar, jogar, se conectar e, sim, aprender também.

Uma aluna nota minha presença, e eu sorrio. Normalmente, odeio falar com estranhos, mas sei que, para ser uma grande fotógrafa, vou ter que superar o nervosismo.

— Você fala inglês? — pergunto.

— Falo — a menina responde com uma pronúncia perfeita.

— Será que posso tirar uma foto do seu grupo? Estou fazendo um trabalho para a escola, e seria incrível se vocês pudessem participar.

Inesperadamente, a menina se anima.

— Ah, é claro! *Écoutez donc, les mecs!* — diz para os amigos. — *Elle veut prendre un photo de nous...*

Todos começam a se ajeitar em poses variadas, e eu dou risada.

— Não, não, é... como vocês estavam, mesmo. Tudo bem?

Eles voltam a ler sobre a pintura, rapidamente perdendo o interesse na garota esquisita com a câmera. Tiro algumas fotos do grupo, digo um "merci" para a menina e me afasto com Posey.

— Conseguiu o que queria? — ela me pergunta.

— Acho que sim.

— E ainda não vai me contar o que está planejando? — Seu sorriso é tímido.

Pisco para ela e levo o dedo aos lábios.

— Prometo que você vai ser uma das primeiras a saber.

Ela dá risada.

— Acho bom! — responde. — Estou com sede. Quer beber alguma coisa?

— Sim! Mas temos que ir a algum lugar para comemorar seu progresso nos ensaios. Aonde vamos?

Posey sorri.

— Sei que parece bobo, mas... o que acha do McDonald's?

Não consigo segurar a risada.

E assim, numa velocidade que pode ser um novo recorde mundial no *Guinness*, voltamos à Trafalgar Square e subimos a Strand até o restaurante mais próximo. Pedimos milk shake e sentamos nas banquetas altas de plástico vermelho, balançando as pernas como se tivéssemos dez anos de novo.

— Já contou para a Leah sobre o seu sucesso nos ensaios? — pergunto. — Ela vai gostar de saber.

Posey balança a cabeça.

— Ainda não. Não quero falar antes da hora e estragar tudo.

Inclino a cabeça.

— Tudo bem. Bom, depois que se apresentar na *noite de estreia*, você pode contar!

Meu telefone toca, e quase grito de surpresa e alegria quando vejo quem está ligando.

— Que foi? — Posey pergunta.

— Falando nela... — Viro o celular para ela ver o nome na tela. Leah Brown.

— Uau, que loucura! — comenta Posey.

— Não se preocupe, não vou falar nada agora — garanto e deslizo o dedo pela tela para atender a ligação. — Leah?

— Oi, P. — Ela está com uma voz cansada.

— Tudo bem? — pergunto. — Já sei que aconteceu alguma coisa.

— Minha gravadora está enlouquecida. Tenho que ligar para todo mundo que esteve no estúdio recentemente.

— Por quê? O que aconteceu?

O silêncio do outro lado da linha é mais longo.

— Meu álbum. O primeiro single vazou, está na internet.

30

O rosto de Posey perde a cor, e abandonamos o milk shake no copo. Logo depois de me despedir de Leah, ligo para Megan e peço para ela vir nos encontrar na lanchonete.

— Não consigo acreditar — Posey repete pela centésima vez. — Quem faria isso?

Balanço a cabeça.

— Eu nem imagino. — Enquanto esperamos Megan, uso o celular para procurar a canção que vazou. A busca "música vazada de Leah Brown" retorna centenas de resultados de diferentes sites de fofoca. Parece que o vazamento não aconteceu por sites de download. Alguém mandou para o e-mail de um jornalista uma gravação de baixa qualidade. Se fosse outro artista, acho que isso desestimularia as pessoas. Mas a música que vazou é tão diferente do estilo de Leah, tão nova e crua, e ela é uma estrela tão famosa, que a internet ficou maluca. Vou descendo a tela pelos posts com o link para a cópia pirata. Já não dá mais para controlar, a equipe de Leah não vai mais conseguir conter a divulgação, por mais que invistam dinheiro e influência para solucionar o problema.

A única coisa boa é que todos os comentários sobre a faixa são positivos. As pessoas estão adorando e querem a versão completa. Ouço um trecho da música, mas não a reconheço como uma das que ela tocou para nós, e sinto que a pressão que crescia em meu peito diminui. Não pode ter sido uma de nós.

— Espero que ela não pense que eu faria alguma coisa desse tipo — diz Posey.

Seguro a mão dela.

— É claro que não! Nenhuma de nós faria isso.

— Oi, gente!

Levanto a cabeça e vejo Megan acenando enquanto se aproxima, corada depois da caminhada vigorosa. Felizmente, ela parece ter reativado o gene da "gentileza" desde que nos vimos pela última vez, porque dá um abraço em cada uma de nós.

— E aí? — ela pergunta. — Por que a pressa? Por que eu tive que vir correndo?

— A Leah Brown me ligou — começo. Depois respiro fundo sem desviar os olhos do rosto de Megan. — Alguém vazou uma canção do álbum que ainda nem foi lançado, e a faixa caiu na internet.

Megan sobe na banqueta e cobre a boca com uma das mãos.

— Não brinca! É sério?

— Bom, a música está *em todos os lugares.* Ela ligou porque precisava ter certeza de que não estamos envolvidas nisso.

— É claro que não! Ela falou que não podíamos gravar.

— Eu sei. Mas a gravadora teve que tomar todas as precauções, entrar em contato com todo mundo que esteve lá na semana passada.

Megan relaxa e solta os ombros, mas Posey está com os olhos cheios de lágrimas.

— Ei, não chora! — diz Megan.

— Odeio pensar que a Leah pode estar achando que fomos nós. Ela tem tanta coisa com que se preocupar, e foi tão legal com a gente!

— Um vazamento às vezes pode ser bom, não é? Nenhuma publicidade é completamente ruim, essas coisas... — Megan opina.

Franzo a testa.

— Posso garantir que isso não é verdade.

— Tudo bem, mas... ah, ela não é a primeira cantora a passar por isso!

— E como isso torna esse vazamento menos grave?

— Não estou dizendo que não é grave. Só estou dizendo que ela vai ficar bem.

Posey e eu nos olhamos, e eu assinto. Megan tem razão. Uma canção vazada não vai arruinar a carreira de Leah. Mas vi pessoalmente o esforço que ela dedica a todas as músicas, e sei que esta é a primeira vez que ela compõe alguma coisa tão pessoal. Além do mais, como Noah, ela é perfeccionista e não ia querer que nada fosse a público antes de estar pronto.

Meu celular toca, e todas nós olhamos para a tela. É Leah de novo. Atendo imediatamente e faço um sinal para as meninas ficarem quietas, para eu poder ouvi-la melhor.

— Alô?

— Oi, Penny. Tenho novidades, e não são boas.

— Que foi? — Meu coração parece subir para a garganta.

— Isolaram o trecho para deixá-lo mais nítido, e lembro exatamente quando eu cantei esse pedaço. Foi durante nosso encontro em Londres. Não pode ter sido em outra ocasião.

— Mas... como isso é possível? Eu juro que nunca ouvi essa música. Não é uma das que você cantou para nós.

Posey empalidece, e Megan engole a saliva com evidente esforço.

Meu coração dispara.

— Eu cantei essa música naquele dia... Talvez quando você estava lá em cima, preparando a sessão de fotos? Enfim, o que estou dizendo é que só pode ter sido uma de suas amigas.

— Sério? — Minha voz está tremendo. — Ai, Leah. Eu sinto muito, muito mesmo.

— Olha, preciso desligar. Tenho que pensar o que vamos fazer agora. Falo com você mais tarde.

— Tudo bem — respondo, mas ela já desligou. Olho, incrédula, para o telefone em minha mão. Depois para Posey e Megan. As duas parecem culpadas e inocentes. — Eu... ela... — Não encontro as palavras.

— Que foi, Penny? — Megan quer saber.

— A Leah sabe quando cantou essa versão da música. Foi quando estávamos no estúdio.

— Mas eu nunca ouvi essa música antes! — Megan protesta. Agora eu lembro. Ela subiu para ir ao banheiro quando eu preparava a sessão de fotos. Isso deixa apenas uma possibilidade.

Mas não pode ser.

Nós duas olhamos para Posey.

— Eu... não fiz nada — ela gagueja.

— Mas você era a única lá — responde Megan. — Só pode ter sido você. Como eu e a Penny poderíamos ter gravado alguma coisa, se nem estávamos na sala? — A voz dela é dura, e vejo as lágrimas surgindo nos olhos de Posey.

Mas não consigo sentir pena dela. Tudo que sinto é um... vazio. E depois experimento outro sentimento. O de traição.

— Penny, você sabe que eu nunca...

— Agora eu entendi por que você não queria contar para a Leah sobre o seu progresso — interrompo, quase tremendo de raiva. — O que achou que ia ganhar vendendo a música para um site qualquer?

Posey passa da absoluta palidez a um vermelho-beterraba, e as lágrimas agora escorrem pelo seu rosto.

— Eu... — Mas ela não termina a frase. Em vez disso, pega a bolsa em cima da mesa, pula da banqueta e sai correndo da lanchonete.

Eu só balanço a cabeça, incrédula.

— Uau — Megan murmura, quebrando o silêncio.

— Não consigo acreditar que a Posey foi capaz de uma coisa assim!

— Eu sei, é difícil de acreditar. Por outro lado, acho que a gente mal conhece essa garota. Você a conheceu há algumas semanas...

— É verdade.

— E ela sempre foi muito quieta na escola, apesar de ter conseguido o papel principal. — Megan dá de ombros. — A Madame Laplage é uma excelente instituição, mas lá não tem lugar para fracos, e, no fim das contas, ela quer ser uma estrela algum dia. Superar a concorrência, meter um pé na porta... tudo isso vale muito para uma aluna da Madame Laplage.

Balanço a cabeça.

— Ela ganharia muito mais sendo amiga da Leah do que traindo a confiança dela. Não acredito como pôde ser tão burra! — comento, irritada. Mesmo assim, as dúvidas no fundo da minha mente crescem. Megan mencionou uma verdade incômoda: apesar de eu pensar que tinha com Posey uma conexão que nos tornava amigas, não sei muito sobre ela.

Escrevo para Leah:

Foi a Posey. Ela era a única na sala quando
você estava cantando.

Leah responde:

Uau! Ela parecia ser tão legal. Estou
discutindo com os meus advogados o que
vamos fazer. Eu mando notícias.

Desculpa.

Megan toca minha mão, interrompendo meus pensamentos.

— Você está fazendo o que é certo, Pen. Sempre tem gente querendo derrubar estrelas como a Leah.

Forço um sorriso.

— Você tem razão.

— Quer sair daqui e ir fazer compras no Covent Garden?

— Tudo bem — respondo.

— Legal. Vou te mostrar aquela maquiagem que estou querendo *muito*.

Fazer compras é a última coisa que me interessa, mas ainda tenho algumas horas antes de pegar o trem. Talvez isso me anime. Megan segura minha mão e me puxa para a porta, para o barulho da Strand. Andamos em direção à enorme praça de Covent Garden, um dos meus lugares favoritos em Londres. Só para variar, o tempo está limpo e claro, um belo dia de outono que me lembra mais uma vez que essa é minha estação favorita.

Um equilibrista se apresenta para um grande grupo, e sua voz amplificada pelo microfone ecoa nos prédios que cercam a praça. Megan e eu paramos para vê-lo, e eu fico na ponta dos pés para enxergar sobre o mar de cabeças. O equilibrista joga um bastão de fogo para o alto e o pega de volta, e Megan e eu exclamamos nossa admiração com o restante da plateia.

Ela puxa meu braço.

— Vem, quero te mostrar antes que toda essa gente vá embora.

Ela me leva para uma loja de maquiagem linda e cara decorada com grandes espelhos que me fazem lembrar de outras lojas, em cujos provadores estive com Noah. A maquiagem está muito além do meu orçamento, mas Megan e eu nos divertimos experimentando batons e iluminadores.

— Olha essa cor. Ficaria linda em você — ela diz, abrindo um batom e o passando no dorso da minha mão. É um tom lindo de rosa, mas o preço na etiqueta me dá vontade de chorar.

— Acho que vou deixar para outra hora — digo.

— Tudo bem, você que sabe. Vou pagar o que comprei, e depois podemos ir.

Megan leva quatro ou cinco itens ao caixa e paga pela compra. Depois engancha o braço no meu e me conduz para fora da loja.

— E aí, o que rolou entre você e o Callum? Você ia encontrá-lo na Escócia, não ia?

— Ah... — Não consigo evitar o rubor que tinge meu rosto. Apesar de eu ter falado rapidamente com ele antes de partir da Escócia, ainda me sinto mal pela maneira como vim embora. Afasto o sentimento de culpa. — Bom, a notícia mais importante é que o Noah voltou!

— O QUÊ? ESPERA AÍ! — Paramos no meio da rua. — O Noah voltou? E você esteve com ele? O que ele disse? O que você disse? Vocês voltaram?

Dou risada.

— Vai devagar com as perguntas! Nós *não* voltamos.

— Ah. — Megan faz biquinho.

— Não conversamos de verdade, porque eu voltei para cá.

— Você fugiu.

— Não! Eu queria fazer uma surpresa para a minha... — Eu ia dizer "amiga", mas agora nem sei mais. — Para a Posey.

— *Eeeeee* precisava fugir.

— Tudo bem, eu tinha que me afastar um pouco — admito. — Eu não sabia o que fazer em relação a ele, ao Callum e a tudo... As coisas estão bem complicadas.

— Bom, isso é normal. Fico feliz por ter me contado. Tenho certeza que vai esclarecer as coisas com o Callum. Ele vai entender sobre o Noah. O amor sempre tem que estar em primeiro lugar.

Faço uma careta.

— Não sei se um cara que some por um mês sem mandar notícias pode ser considerado um verdadeiro amor.

— Você e o Noah nasceram um para o outro. Eu sei.

Meu sorriso é apagado.

— Pode guardar segredo sobre isso por um tempo? Não sei se o Noah quer contar que voltou.

Megan finge fechar um zíper na boca.

— Não se preocupe, seu segredo está seguro comigo.

— Obrigada. — Sorrio.

— Beleza. E, se algum dia precisar de conselho sobre essa história com o Noah, já sabe quem procurar.

31

O queixo de Elliot quase cai na tigela de cereal.

— Mas ela parecia tão legal!

— Eu sei.

Acabei de contar para ele a história envolvendo Leah e a canção vazada, que ele já ouviu umas cem vezes.

— Pelo menos a música é incrível. Adorei! Aposto que todo mundo na escola vai falar sobre isso.

— Também acho.

— Está pronta? Vou me atrasar. Tenho um trabalho de história enorme para entregar, não posso perder o começo da aula.

— Sim, estou.

Continuamos nossa rotina de irmos juntos até a esquina, onde nos despedimos e seguimos cada um para a sua escola. Mas agora é diferente, é claro, porque a rotina começa assim que acordamos. Elliot está no quarto de Tom. Ainda é estranho tê-lo em casa, não na casa vizinha. É claro que adoro ter meu melhor amigo comigo, mas queria que as circunstâncias fossem melhores. Mas sei que minha família vai fazer o que puder para que ele se sinta seguro e amado. Ele precisa disso mais que tudo nessa fase tão turbulenta.

Quando chego ao pé da escada do colégio, recebo uma longa mensagem de Posey pelo WhatsApp.

Querida Penny, sei que sou a última pessoa de quem você quer ouvir falar, e sei que deve me odiar, como a Megan me odeia. Mas quero que saiba que não fiz isso de que você e a Megan me acusam. Você precisa acreditar em mim. Não sei quem vazou a música, mas não fui eu. Espero que responda.
Posey x

Meu estômago ferve enquanto leio. Quero acreditar nela, mas a evidência é muito contundente. Sei que não fui eu, e o álibi de Megan é forte. Por isso guardo o celular sem responder.

O dia passa depressa enquanto tento não pensar muito na situação entre mim, Posey e Leah. É difícil, porque Elliot está absolutamente certo. Todo mundo na escola está falando sobre o assunto, mesmo sem saber que tenho alguma coisa a ver com ele.

Na hora do almoço, quando entro no refeitório, Kira e Amara estão falando sobre isso.

— Queria uma versão que desse para ouvir no Spotify — diz Kira. — Iria direto para a minha playlist!

As duas irmãs olham para mim quando ponho a bandeja sobre a mesa.

— Oi, Penny! Já sabe da Megan?

— A Megan? — Levanto uma sobrancelha.

— É! Ela vai fazer uma festa. Aposto que tem um convite como este dentro do seu armário. — Kira mostra um envelope preto que brilha na luz fluorescente. Tem um selo, agora rompido, de cera vermelho-sangue.

— Ah, puxa! — falo ao pegar o cartão dentro dele. É um convite para uma festa de Halloween em uma fazenda na periferia de Londres.

— É, ela convidou todo mundo do nosso ano, e parece que também chamou muita gente da escola nova. Você vai? Aposto que seu novo gato vai estar por lá.

Engulo o ar e disfarço o rubor olhando para o convite. Não tive tempo para contar para ninguém sobre a mudança da situação com Callum.

— Ah, acho que vou — respondo. — Qual é o traje?

— Uma festa de Halloween tem que ser à fantasia — diz Amara. — A gente devia pensar em uma bem legal para ir em grupo.

— Não sei... Festas grandes assim não são muito a minha cara. E eu ainda nem sei se fui realmente convidada.

Termino de comer e vou ver se tem alguma coisa no meu armário. Quando abro a porta, um envelope preto cai no chão.

Tiro uma foto dele com o celular e mando para Megan. Meio segundo depois ela liga para mim.

— Por favor, diz que vem! — ela fala antes mesmo de me dar "oi". — Tenho certeza que vai se divertir e que vai ter um lugar seguro onde se refugiar. É muito importante para mim. Minha primeira chance de fazer algo grandioso na escola e... — Finalmente ela para e respira. — É na véspera da minha estreia no palco.

Isso me surpreende.

— Como assim?

Megan baixa a voz, como se estivesse cercada por muita gente e não quisesse ser ouvida.

— A Posey desistiu do espetáculo hoje. Disse que é por causa do medo de palco, mas eu acho que ela está se sentindo culpada.

— Uau. — Não consigo dizer mais nada.

— E aí, você vem? Por favor? — A voz de Megan sobe novamente.

— Vou ver o que posso fazer.

— Oba! — Megan grita. — Garanto que vai ser a melhor festa de todas.

32

— O que você acha, Elliot?

Ele se recosta na cadeira e coça o queixo como se tivesse barba.

— Vocês três são as bruxas mais sinistras que eu já vi... Mas duvido que esse seja o tipo de fantasia que a Megan queria.

Ele deve ter razão. Kira e Amara vieram para minha casa para nos arrumarmos juntas para a festa. Assaltamos a coleção de fantasias da minha mãe e escolhemos as bruxas mais elaboradas que encontramos. Decidimos ir como as três bruxas de *Abracadabra,* meu filme de Halloween favorito. Eu estou de Sarah Sanderson, o papel de Sarah Jessica-Parker, Kira é Winifried, e Amira é Mary. Alex ajudou com a maquiagem, as unhas postiças compridas e as perucas malucas. Olho no espelho e penso que talvez tenhamos exagerado um pouco, mas não dá para voltar atrás agora.

Kira dá uma risadinha.

— Eu me sinto uma verdadeira irmã Sanderson.

— Espera, sua peruca está torta — Alex me avisa e ajeita as mechas loiras, longas e emaranhadas.

— Como vai ser se você encontrar o Callum? — pergunta Alex.

Callum mandou uma mensagem perguntando se eu ia à festa e se podíamos conversar novamente.

— Vou ter que conversar com ele — respondo — e ser sincera de uma vez por todas. Pelo menos ele não vai conseguir ver como eu estou envergonhada embaixo de toda esta maquiagem e deste cabelo falso.

Amara aponta para mim com o batom.

— Vamos nos divertir. *Você* vai se divertir. Não vamos resumir tudo isso ao Callum.

— Onde é a festa, mesmo? — Elliot pergunta, examinando o convite.

— Em uma fazenda em Surrey, a mais ou menos meia hora de carro daqui. A Kira vai usar o carro da mãe dela.

— De onde a Megan tirou dinheiro para isso? Desde quando ela tem essa fortuna para dar uma festa grande como essa?

É uma pergunta que também tem me incomodado.

— Não sei — respondo. — Mas os pais dela têm dinheiro. Talvez seja para comemorar o papel principal no espetáculo da escola. É uma coisa importante.

O silêncio prolongado é rompido repentinamente pelo ataque de riso de Elliot.

— Desculpa — ele diz. — Não consigo levar você a sério vestida desse jeito!

Olho para Kira e Amara, e as duas olham para mim. Depois, como se tivéssemos combinado, batemos nos dois com o cabo das nossas vassouras.

— É melhor a gente sair logo, antes que esta bela maquiagem estrague! — E pulo da cama.

— Divirtam-se, bruxas malucas. Vou querer saber todos os detalhes — Elliot avisa.

— É claro!

Descemos a escada correndo, e meu pai grita quando nos vê.

— Meninas! Que susto!

— A ideia é essa, pai! — respondo e acrescento minha risada de bruxa para garantir o efeito.

— Eu diria para tomarem cuidado, mas acho que é o mundo que precisa tomar cuidado.

— Ha, ha, engraçadinho — retruco e levanto uma sobrancelha numa reação sarcástica. No entanto, quando vejo nosso reflexo no espelho do hall, quase dou um pulo. Sempre defendi a ideia de que "se não for para causar, eu nem saio de casa", e acho que nós três fomos muito além de *causar*.

O carro da mãe de Kira e Amara está estacionado na frente de casa.

— E se formos paradas vestidas desse jeito? — Amara comenta.

— Espero que não tenha que pôr gasolina! — eu falo.

— Não se preocupe, já abasteci antes de vir para cá — diz Kira.

Deixamos para trás o trânsito de Brighton e pegamos a rodovia para o norte, passando pela área rural de Sussex, a caminho de Londres. Dou uma olhada no celular, mas o guardo rapidamente. Tem várias ligações perdidas do Noah, e sei que estou evitando a situação. É verdade, temos que conversar de novo, mas simplesmente não consigo encarar isso.

Quando saímos da rodovia e paramos em alguns semáforos, acabamos assustando um garotinho no carro ao lado do nosso. Rimos muito e só superamos o ataque de riso um instante antes de o farol abrir.

Fora da cidade, o GPS nos leva por uma estrada sinuosa e tão estreita que os espelhos laterais quase tocam a vegetação dos dois lados da pista. É um alívio não estar dirigindo, porque isso certamente me deixaria nervosa.

Em um trecho, ficamos presas atrás de um ônibus cheio de gente com roupas chiques, e imagino que estão a caminho da fazenda. Esse deve ser o ônibus da festa que Megan mencionou, que transportaria os convidados que não têm carro. Fico feliz por não estar dentro dele. Pensar no assunto é o suficiente para me fazer começar a suar.

— Que bom que não estou no ônibus com toda aquela gente — diz Kira, ecoando meus pensamentos.

— Ai, eu também acho! Não consigo imaginar nada pior — respondo.

Amara sorri para mim.

— Você vai ficar bem, Penny? Quer combinar um sinal ou alguma coisa assim? Para quando uma de nós quiser ir embora?

Penso no filme *Abracadabra* e em quando as irmãs querem se juntar ou festejar juntas, Winifried grita "IRMÃS"! Depois disso, elas se reúnem, rindo. Então sugiro:

— Se uma de nós quiser ir embora, podemos gritar "IRMÃS" como no filme.

— Adorei! Combinado — as outras concordam com entusiasmo, e eu sorrio, agradecida. Minhas amigas são ótimas. Elas entendem minha ansiedade e tentam não me deixar sentir muito sozinha. Todas nós sabemos que não vão ser as gêmeas que vão gritar anunciando o fim da festa.

O ônibus na nossa frente entra em uma grande propriedade e nós o seguimos.

E ficamos boquiaberta de espanto. O Halloween ali é bombado: são centenas de abóboras esculpidas dos dois lados da trilha, criando uma espécie de tapete vermelho sinistro. Teias de aranha fantasmagóricas caem das árvores sem folhas e, para completar o cenário, tem fardos de feno empilhados por todos os lados.

O vento sopra e faz tremer a chama das velas, e o ar é frio. Ainda bem que decidi usar meia-calça embaixo do vestido e do espartilho.

Subimos pela trilha de abóboras com o convite na mão. Um segurança grandalhão (com um sotaque que me faz pensar imediatamente em Larry, o guarda-costas de Noah) verifica os convites e nos deixa entrar. Fico surpresa com a quantidade de gente que já está por ali, mas logo compreendo que a festa de Halloween da Megan não é o único evento na fazenda. Tem mais coisa acontecendo esta noite. O guarda aponta a lanterna para o chão para nos guiar até um enorme celeiro. A festa de Megan deve ser lá.

— Que loucura — diz Kira. — É normal eu sentir um pouco de medo?

— Fala sério! Estou apavorada! — respondo.

Uma fila de pessoas espera para entrar no celeiro, e paramos no fim dela. Um homem assustador fantasiado de Coringa está na entrada, abrindo e fechando a porta para as pessoas entrarem. Quando nos aproximamos, reconheço Luke, o garoto com quem Megan está saindo. Ele deve estar na mão dela, realmente, para aceitar a função de porteiro.

— Bem-vindas à Casa dos Horrores, se tiverem *coragem* de entrar — ele diz, e a boca pintada se contorce num sorriso.

— Ah, obrigada — respondo, hesitante. É evidente que Luke é aluno de teatro.

— Sugiro que andem de mãos dadas quando entrarem. E não se esqueçam... *Não parem até que o caminho acabe, muahahahaha!* — Ele abre a porta, e Kira, Amara e eu gritamos ao sermos empurradas para dentro. A porta bate assim que passamos, e ficamos na mais completa escuridão.

Estou espremida entre as gêmeas, e elas apertam minhas mãos enquanto andamos com cuidado.

— Ai, meu Deus, Penny, juro que tem alguma coisa me tocando. Não gosto disso — Kira reclama.

Também não gosto, mas ranjo os dentes.

— Ah, é tudo brincadeira, tenho certeza que não... AHH!

Grito com toda a força dos pulmões quando um homem negro com a máscara do Jason pula na minha frente, segurando uma faca. Amara grita um segundo depois de mim quando uma menina, cujo rosto está coberto de feridas, pula contra as grades de uma jaula a poucos centímetros dela. Começamos a correr pelo labirinto escuro, impelidas pela adrenalina. Apesar de estar gritando, é estranho, porque acho que estou me divertindo. Tem alguma coisa muito divertida em levar sustos pavorosos quando se tem (quase) certeza de que não existe nenhum perigo real.

Passamos por duas portas, e uma delas tem uma placa onde se lê: "PERIGO! NÃO ENTRE!" A placa na outra porta anuncia "POR AQUI". Antes que alguém possa me impedir, empurro a porta com a placa de "PERIGO".

Deve ser a certa. Assim que meus olhos se habituam à luz, vejo que estamos no interior do enorme celeiro, onde há música e uma pista de dança lotada, luzes coloridas piscando e um DJ comandando o som em um canto.

Mas não é nada disso que vejo primeiro.

A primeira pessoa que vejo é Noah.

33

Ele está vestido de fantasma, o que é apropriado, considerando que vive assombrando cada momento da minha vida. Está todo coberto com um pó branco, inclusive o rosto e o cabelo. Eu pisco, pensando que talvez seja um fantasma *de verdade* e eu estou imaginando coisas.

Noah está olhando para as pessoas na festa, não para mim, o que é uma sorte, porque ainda não estou preparada para encará-lo. Pego a mão de Kira e a puxo para longe da porta, para um canto mais escuro. Amara olha em volta, assustada, tentando encontrar o que me assustou. Fico feliz por estarmos fantasiadas e por eu ter me tornado uma loira oxigenada esta noite, porque Noah vai demorar mais para me achar.

— O que foi? — Kira pergunta.

— Acabei de ver um fantasma — respondo.

Ela olha para as pessoas.

— Acho que você precisa ser um pouco mais específica. Tem vários fantasmas aqui!

— Estou falando do Noah.

— Ah, *sério*? — Ela arregala os olhos. — Ah, agora eu vi. É só procurar onde a maioria das garotas estão.

— Como assim? — Sigo a direção do olhar de Kira e deixo os ombros caírem. Eu não havia notado antes, porque só prestei atenção nele. Mas Noah está cercado por um grupo de garotas, que se mantêm suficientemente afastadas para não parecem muito invasivas, mas perto o bastante para atrair a atenção dele, caso ele olhe na direção delas. Mas Noah vira de repente e se dirige à porta.

Suspiro, aliviada.

Amara olha para mim e levanta as sobrancelhas.

— Não quer falar com ele?

— Não... Quer dizer, eu quero, mas não agora. E o que ele está fazendo aqui?

Se ele está aqui, Megan deve tê-lo convidado. Depois de ter *prometido* guardar segredo sobre o assunto, ela decidiu simplesmente convidá-lo para uma festa onde centenas de pessoas o veriam e começariam a falar sobre ele de novo. E, como eu esperava, todas as garotas que o cercavam agora estão com o celular na mão. Elas cochicham, agitadas. *Isso vai direto para o meu Snapchat! Aquele era mesmo o Noah Flynn?* Dá para ouvir os cochichos ecoando nas paredes do celeiro.

Kira me cutuca. Antes que eu possa perguntar o que é, vejo Megan andando em nossa direção, linda em uma fantasia justa e brilhante de gata. Ela consegue fazer até os bigodes ficarem bonitos. Uma bolinha de tinta preta no nariz complementa o cabelo castanho, que cai em grandes cachos saltitantes sobre seus ombros.

— Você está ótima, Megan — falamos em coro.

— E vocês estão assustadoras! — Megan responde, inclinando-se para a frente e distribuindo beijinhos no ar. — Não quero ficar toda suja de batom! — guincha.

Não consigo devolver os beijos.

— Megan, o que o Noah está fazendo aqui?

Ela faz biquinho.

— Ah, você já viu? Queria que fosse surpresa. É que, tipo, quero estar presente quando vocês reatarem.

— Quando a gente reatar? O que é isso, uma festa de intervenção?

Megan finalmente percebe meu tom de voz e franze a testa.

— Por que está brava? Achei que ia ficar feliz.

— Eu fui clara quando pedi para você guardar segredo sobre ele ter voltado!

Megan revira os olhos.

— Não importa, Penny. A festa é *minha* e eu convido quem eu quiser. O Noah não precisava ter vindo, se ele não quisesse. Assim, ninguém ia saber que ele voltou ao mundo dos vivos, se era assim que ele preferia que fosse. Em vez de me culpar, aproveite a oportunidade. Eu vou curtir a festa. Faça o que você quiser.

Ela se afasta, altiva, ou tão altiva quanto alguém pode ser usando um rabo de gato. Suspiro e olho para Kira.

— Ela tem razão, não é? Se o Noah quisesse segredo, não teria vindo a uma festa brega.

— É, mas a Megan podia ter te avisado.

Sorrio sem entusiasmo.

— Ei, vocês não precisam ficar comigo. Tem gente aqui com quem posso conversar e... ah, vai ser divertido. — *Callum, depois Noah, depois um pedido de desculpas para Megan.* Não, não estou animada para *nenhuma* dessas conversas.

— Tem certeza? — Amara pergunta.

— Sim, podem ir. A gente se encontra mais tarde.

— Não esquece — Kira diz antes de se afastar. — *IRMÃÃSSSSS!*

— Certo! — Eu as vejo sair de perto de mim, envolvo o corpo com os braços e lembro como odeio esse tipo de festa.

Apesar do frio lá fora, aqui dentro está quente demais. Os corpos se movendo e sacudindo sob as luzes fortes, as máquinas de fumaça, o ar denso de colônia, perfume barato e suor. Espero não demorar muito para encontrar o Callum.

Respiro fundo e começo a percorrer a sala. Saber que tenho uma rota de fuga me faz sentir melhor, e a tarefa diante de mim desvia o foco da minha ansiedade. *Eu consigo.*

Percorro a área toda da festa, mas não vejo Callum. Vejo a cauda de gata de Megan balançando no meio das pessoas, e vejo Kira e Amara duas vezes, mas não vejo Noah, felizmente. Que tipo de fantasia Callum escolheu?

Em um canto do celeiro, uma escada sobe para um mezanino, onde foi montado o bar. Subo os degraus torcendo para ter uma visão melhor lá de cima, mas, assim que termino de subir, não preciso mais procurar. Lá está Callum, perto da vasilha de ponche com alguns amigos, misturando na bebida o conteúdo dourado de duas garrafinhas. Todos estão vestidos de vampiros, o que é bem apropriado. Uma gota de sangue escorre da boca de Callum quando ele ri.

Seus olhos se abrem com a surpresa de me ver, embora, de início, ele não tenha certeza de que sou eu.

— Penny? — Callum pergunta depois de me encarar por dois segundos.

— Oi, Callum.

— Você está... — Dá para ver que ele se esforça para pensar em um elogio, mas as palavras não aparecem. Eu sabia que a fantasia que escolhi, e que não combina com o estilo de "gatinha fofa de fantasia justa", faria de mim a minoria, mas não pensei que Callum ficaria desconcertado.

— Queria falar comigo? — pergunto.

— *Iiihhh*... — Os amigos dele entoam em coro, balançando os dedos em nossa direção.

Olho para eles de cara feia, mas Callum dá risada.

— Queria. Quer um pouco de ponche?

Balanço a cabeça, e ele me segue até a grade de onde dá para ver a pista lá embaixo. Uma fileira de pequenas abóboras iluminadas enfeita a armação de metal, diferentemente das luzinhas de Natal que eu tanto amo, mas bem de acordo com o clima. Sei que olhando para elas estou só me distraindo da conversa que preciso ter. Olho nos olhos de Callum, e é ele quem toma a iniciativa.

— Penny, quando eu descobri que você viria para a festa, decidi que tinha que falar com você mais uma vez. — Ele segura minha mão de unhas compridas e pontudas. — Sei que o casamento da Jane não foi como eu planejei, mas eu estava falando sério quando disse que gosto da sua companhia e que queria passar mais tempo com você. Além do mais, eu te acho uma fotógrafa supertalentosa e aposto que posso aprender muito com você. E também é muito linda... — Ele olha para a maquiagem preta nos olhos e para a peruca loira. — Na maior parte do tempo.

Apesar das minhas decisões, sinto que fico vermelha. Nem Noah me elogiava tanto.

— Sei que vou me arrepender se eu não tentar mais uma vez. Acha que a gente pode sair de novo? — ele pergunta.

— Callum, eu quero ficar sozinha um tempo. — Não sei se ele me escuta, porque está olhando para alguma coisa por cima do meu ombro.

— Ah, não, de novo não — ele resmunga e solta minha mão enquanto estreita os olhos.

Viro, e ali, no alto da escada, vejo o Noah-fantasma. Como alguém fantasiado de fantasma pode ficar tão lindo, sem fazer nenhum esforço? Como ele transforma um fantasma em algo tão bonito?

— Noah, por favor — digo. — Só quero conversar com o Callum. — Mas é como se eu nem estivesse ali. Noah está encarando Callum, e eles se medem.

Eu odeio isso.

Mais confiante agora que os amigos se aproximam para apoiá-lo, Callum ergue os ombros e exibe toda a sua altura, que supera a de Noah em alguns centímetros.

— Olha, *cara*, por que você não deixa a Penny em paz, em vez de ficar correndo atrás dela como um ex maluco?

— *Correndo atrás dela?* — Noah retruca quase rindo.

Desesperada, olho de um lado para outro, como se assistisse a uma partida de tênis em Wimbledon. E não sou a única. À nossa volta, vários celulares estão apontados para nós, gravando cada momento. A última coisa de que Noah precisa, e eu também, é que isso seja postado na internet e se torne o próximo sucesso viral. Eu recupero a razão.

— Parem com isso! — grito, mas de repente o chão começa a balançar, e sinto uma onda de calor subir pelo meu corpo. Minhas mãos estão suadas, e sei que este não é um ataque que vou conseguir controlar respirando fundo.

— Penny... — Noah reconhece os sinais e dá um passo na minha direção. Callum não me conhece muito bem, mas segura meu braço e tenta se colocar entre mim e Noah.

— Ah, me deixem em paz — consigo falar com a voz sufocada e passo por eles a caminho da escada. As pessoas se afastam para me deixar passar, mas continuam apontando o celular para mim.

Felizmente, no alto da escada, vejo o rosto conhecido de Kira. Mesmo com o nariz falso, dá para ver que ela está pálida de preocupação.

— Ouvi os nomes "Noah" e "Callum" e vim correndo...

— Irmãs... *irmãs*... *IRMÃS!* — repito entre uma inspiração profunda e outra.

Kira comprime os lábios numa linha fina e segura minha mão.

— Vamos.

Sinto uma enorme gratidão. Ela assume o controle imediatamente e me leva pela escada e para fora do celeiro. Eu a acompanho, ofegante e às cegas. Ela fala o tempo todo, e a conversa me acalma.

— Analisei todas as saídas quando chegamos. Sei que parece bobo, mas eu realmente me importo com você, Penny, e gosto de ter tudo isso pensado, caso precise de mim. Eu sempre sei qual é o jeito mais rápido de sair.

Não respondo, mas afago a mão dela e meu coração se aquece. Acho que não conseguiria falar, mesmo que quisesse. Minha cabeça está cheia de perguntas. *Por que o Noah está aqui? O que ele queria? Por que a Megan o convidou?* E, acima de tudo, *por que os garotos acham que podem brigar por alguém como se disputassem um troféu?* Ele não parecia o Noah que eu conheci.

Quando chegamos ao carro, sento no banco do passageiro enquanto Kira liga o ar-condicionado no máximo. Ela afaga meu cabelo e eu tento controlar a respiração.

— Você está segura, está bem, não vai acontecer nada — ela murmura.

Queria poder acreditar nela.

A sensação que tenho é de que ficamos uma eternidade sentadas ali, mas, na verdade, são só alguns minutos. Quando sinto que minha pulsação voltou ao normal e que estou respirando mais devagar, levanto a cabeça.

— Obrigada, Kira. Quando aprendeu isso?

— Procuramos no Google "como ajudar alguém com um ataque de pânico". Queríamos saber o que fazer, se você voltasse a passar por isso.

Arregalo os olhos. Não acredito que tenho amigas tão maravilhosas.

— Obrigada — repito, e isso não é nem de perto suficiente.

Amara corre para o carro e entra.

— Vamos para casa? Essa festa está bem ruinzinha.

Nunca me senti tão feliz por ter amigas tão seguras e atenciosas. Quando saímos dali, tento não pensar no que acabou de acontecer e concentro todo o meu esforço em me recuperar.

Uma coisa de cada vez, Penny, digo a mim mesma. *Uma coisa de cada vez.*

34

De dia, depois de ficar com o rosto ardendo de tanto esfregar para retirar toda a maquiagem da noite anterior, sei que preciso enfrentar a situação. Antes que possa mudar de ideia, pego o celular e ligo para Noah.

Ele atende após alguns toques.

— Penny?

— Oi, Noah. Desculpa por eu ter saído correndo ontem à noite.

— Não, eu que tenho que me desculpar. Não percebi que você estava no meio de outra conversa ou nunca teria interrompido. Parece que meu timing é horrível.

— Parece que sim — concordo, rindo.

— Tem um tempinho hoje para conversar comigo pessoalmente?

— Ah, é claro. Você está no Grand com a Bella e a Sadie Lee? — O Grand Hotel fica na orla e se tornou a casa deles em Brighton.

— Não, mas eu mando o endereço por mensagem. Tem certeza?

— Tenho.

— Legal. Te vejo daqui a pouco, então. — E desliga.

Volto à cozinha, onde minha mãe está lavando louça.

— Tudo bem, querida? — ela pergunta.

— O Noah quer encontrar comigo. Acho que vou demorar um pouco para voltar. Se não precisar de mim para nada... — Mordo o lábio.

Ela dá a volta na bancada para me abraçar.

— Vai ficar tudo bem. Seja forte, minha Penelope.

— Obrigada, mãe. — Ela não me chama desse jeito desde que eu era uma menininha, e isso me faz sorrir.

Verifico o endereço que Noah me enviou. Como o hotel, sei que fica na orla, mas não sei o que é. Talvez um novo café onde ele queira me encontrar. Franzo a testa. Queria ir a algum lugar mais reservado, especialmente depois de ontem à noite. Como eu esperava, a internet está bombando com fotos de Noah e Callum discutindo por minha causa. "NOAH FLYNN — DE VOLTA E INFELIZMENTE APAIXONADO", dizem as manchetes.

Começo a descer a encosta em direção ao mar e levanto a gola da jaqueta para me proteger do vento frio. Ontem à noite, o calendário pulou de outubro para novembro, e o tempo também mudou de repente. Penso no verão, em como queria que ele durasse para sempre.

Mas nada dura para sempre.

Nem a garota para sempre de alguém.

Quando chego à orla, paro e olho para o mar. Ele parece muito diferente agora: sob o céu sem sol e as nuvens enormes, ele é cinzento e frio. A praia, antes cheia de quiosques coloridos, agora é apagada, como se tivesse um filtro sépia nos meus olhos. Estou acostumada com Brighton radiante e ensolarada, mas até essa versão de inverno tem sua beleza. Uma coisa mais solene.

Pela anotação em meu telefone, chego ao endereço que Noah me deu. Mas não tem nenhum café ali, não tem nenhuma lojinha. Estamos longe do píer e do coreto, e não há nada ali além de uma fileira de casas vitorianas, a maioria transformada em apartamentos.

Quando penso em mandar uma mensagem para Noah, ele me escreve:

Toca a campainha do ap 5

Olho para cima e tento encontrá-lo em uma das janelas, mas não vejo nenhum sinal dele. Olho para a fila de campainhas. Ao lado da de número 5 tem uma plaquinha com o nome "F. JONES". Aperto o botão, e alguns segundos depois a porta se abre com um estalo. O saguão é bonito, com um grande lustre de ferro fundido no centro, e meus passos ecoam no piso de mármore. Avisto um quadro com panfletos e avisos, e maços de envelopes encaixados em cubículos que lembram um pombal.

Recebo outra mensagem.

Pega o elevador pro 3° andar

Franzo a testa. Elevador? É quando o vejo e engulo em seco. É um daqueles elevadores antigos, com uma porta que a gente tem que abrir e fechar deslizando. É pequeno, só para uma ou duas pessoas. "Aconchegante", alguns diriam. Parece ser *muito* mais velho que eu, provavelmente mais velho que os meus pais, e não sinto a mínima vontade de entrar nele. Mas estou curiosa. Entro, aperto o botão do terceiro andar, fecho os olhos e torço pelo melhor.

O elevador sacode de forma ameaçadora, mas felizmente a viagem é curta. Mesmo assim, abro a porta assim que ele para, quase arrancando uma unha na pressa. No entanto, a visão que me espera é suficiente para me fazer arfar de um jeito diferente. O elevador se abre diretamente no apartamento, sem portas ou outra barreira. Antes que eu possa dar uma boa olhada em volta, minhas narinas dão o sinal de alerta. Sinto um leve cheiro de queimado no apartamento.

— Desculpa! — Noah espia pelo canto da parede. As mãos dele estão escondidas em luvas térmicas com uma estampa floral e seguram uma fôrma com uma esponja chamuscada dentro dela. — Tentei fazer um bolo, mas acho que não herdei o talento da minha avó para confeitaria. Relaxa no sofá enquanto eu... jogo isso fora.

Relaxar? Meus pés estão colados no chão na frente do elevador. Cada superfície do hall é coberta pelas coisas de Noah. Ele deve ter aberto uma janela para se livrar do cheiro de queimado, porque uma brisa entra no apartamento e o cheiro do mar me tira daquela paralisia. E também traz uma folha de papel para perto dos pés. Eu me abaixo para pegá-la. É uma partitura com a caligrafia de Noah. Trechos de uma letra, algumas palavras riscadas e reescritas, acompanham as cifras de uma melodia. Devolvo a folha de papel à mesa de onde ela caiu, perto da entrada, e coloco um molho de chaves em cima dela.

Dou os primeiros passos para dentro do apartamento e viro, acompanhando a quina da parede. Meu queixo cai quando vejo como é espaçoso. A cozinha (onde Noah está jogando o bolo queimado na lata de lixo) é uma extensão da sala de estar e da de jantar, e duas enormes janelas projetadas, perto das quais vejo divãs graciosos que parecem implorar para a gente se acomodar neles com um bom livro, proporcionam o que parece ser uma vista infinita para o mar.

Além da vista, tudo é notavelmente... Noah. É um paraíso Noah Flynn. Conto pelo menos quatro instrumentos musicais ao olhar em volta. Onde *deveria* haver uma mesa de jantar, tem um piano, e vários violões apoiados contra o encosto de um sofá em L. Até o sofá é tipicamente Noah com seu couro marrom cor de chocolate, a manta cinza com brilhantes estampas amarelas jogada descuidadamente sobre uma das almofadas. Grandes obras de arte enfeitam todas as paredes, algumas fotos de ícones do rock, como Robert Plant e Jimmy Page, do Led Zeppelin, outras grandes telas de cores desordenadas. O MacBook fininho de Noah, coberto de adesivos de bandas, está em cima da mesinha baixa, e montanhas de copos de café vazios se espalham por quase todas as superfícies.

Esse lugar parede habitado, embora Noah tenha chegado há poucos dias. Queria saber quem é o verdadeiro dono, e se ele sabe que Noah se apoderou completamente do espaço. Quanto mais olho, mais consigo ver apenas Noah. Em cima do console da lareira (que parece nunca ter sido usada) tem até fotos de Bella e Sadie Lee.

Meu coração dói quando vejo uma Polaroid nossa. Meus braços estão em torno dele na praia de Brighton, estamos sorrindo e fazendo graça para a câmera. Os dedos dele estão sobre os meus, me mantendo perto. Bons tempos.

— Sou um horror na confeitaria, mas posso servir uma bebida. Quer alguma coisa? — ele oferece.

Minha garganta está seca e preciso de algo ocupar as mãos.

— Quero água, por favor.

— Uma água saindo.

Pego o copo da mão dele e bebo metade do líquido imediatamente. Quando finalmente consigo falar de novo, olho nos lindos olhos escuros de Noah.

— Este lugar é incrível. De quem é?

Noah sorri.

— Meu.

35

— Mentira!

— Não. Esse apartamento é meu.

Minha cabeça gira.

— O quê? Como pode ser? Quem é "F. Jones", então?

— Ah, isso. — Noah franze a testa. — Ainda não mudei a placa na porta. De qualquer maneira, é bom para manter a privacidade. F. Jones é Fenella Jones, minha nova empresária no Reino Unido. Quando desisti da turnê, ela e eu tivemos uma boa conversa sobre o que eu realmente queria. Ela disse que tinha um apartamento em Brighton que queria vender e achou que ele era ideal para mim. E a vista é... bem legal.

Sigo o olhar dele para a janela e tenho que concordar. Se você olhar do ângulo certo, parece que o mar chega até a beirada da sala de estar. Mas logo recupero o bom senso.

— Mas isso significa... Há quanto tempo você está morando aqui?

— Desde que saí da turnê — ele responde, meio acanhado.

— Hein? — Pisco várias vezes sem saber como processar essa nova informação. — Você esteve em Brighton esse tempo todo?

— Sim. — Ele me convida a sentar com um gesto, e é bom, porque não sei se minhas pernas vão me aguentar por muito mais tempo.

— Mas por quê? Eu pensei que você adorasse Nova York. Se fosse para comprar um apartamento em algum lugar, pensei que seria lá.

— Já viu o preço de um imóvel na cidade de Nova York? Até Londres perde! — Diante da minha expressão confusa, ele recua. — Tudo bem, não teve a ver com o preço dos imóveis. Eu queria ver se conseguia. Se podia mesmo morar aqui.

— E se não conseguisse? Comprar um apartamento é uma decisão importante.

— Eu tinha um dinheiro guardado da turnê, e, se não quisesse morar aqui, ainda seria um bom investimento. Essa nova empresária me orienta muito melhor sobre decisões financeiras.

— Ah, acho que isso faz sentido. — Pego um fio solto na minha jaqueta. Ainda não me senti confortável o bastante para tirá-la.

Noah chega mais perto de mim, e agora nossos joelhos estão quase se tocando.

— Penny, não tem nada que eu queira mais do que estar com você. Mas sei que não posso esperar que você largue a sua vida, os seus sonhos, para viajar comigo em turnês o tempo todo. E, quando eu não estou fazendo shows, eu fico em Nova York, e a gente namora à distância? Não, você ainda tem dois anos de estudo pela frente, e isso seria muito difícil. Faz tempo que venho pensando nisso.

Assinto, infeliz por ter de me lembrar de todos os motivos pelos quais "Noah e eu" não pode dar certo.

— Então eu quis ver se conseguia ficar aqui em Brighton, mas sem a pressão de você pensar que eu tinha me mudado para cá só por sua causa. E, Penny, eu *adoro* isto aqui. A Fenella me apresentou para alguns músicos incríveis que moram aqui, e tem sido ótimo. Escrevi mais músicas novas olhando para aquele mar do que jamais escrevi no Brooklyn. As ruas têm vida, criatividade. É como estar em casa.

— Sério?

— Sim, sério. Desde que os meus pais... — Ele suspira, e o suspiro profundo me faz lembrar como é difícil, para ele, falar sobre os pais. — Desde que eles morreram, eu nunca senti que algum lugar era realmente meu. A Sadie Lee tem sido maravilhosa, mas a casa dela não é mais o meu lugar. Eu usei a música para fugir. Quando eu te conheci, eu estava fugindo de todos os meus problemas, mas foi você que me deu estabilidade. Eu fiquei pensando se isso também não acontecia com essa cidadezinha tão maneira no litoral da Inglaterra. E aconteceu também. Por enquanto, é aqui que eu quero estar. — Ele segura minha mão. — Isto é, se você não se incomodar. Porque se isso for um problema para você, eu posso me mudar ou...

Eu me recosto no sofá e deixo o corpo afundar no estofado de couro.

— Noah...

— Eu sei, é muita coisa. Não precisa dizer nada agora. Eu queria contar tudo isso na Escócia, mas achei que faria mais sentido se eu te mostrasse.

Ele tem razão. Agora que estou aqui e posso ver como... como ele se sente em casa, parece real. Eu não teria conseguido imaginar, se ele não tivesse me mostrado.

Levanto a cabeça.

— E a festa?

Noah dá risada.

— Pensei que você soubesse que eu ia. Foi o que a Megan me falou. E quando te vi com aquele cara de novo... Ficou tudo vermelho na minha frente. Não é uma desculpa. Estou tentando explicar.

— Fiquei surpresa quando te vi lá. — Antes que ele possa falar novamente, eu me lembro de todas as vezes em que *pensei* ter visto Noah. Talvez fosse ele. — Você me viu alguma vez desde que chegou aqui?

— Era difícil não ver! Esta cidade é muito menor do que eu pensava. Mas eu tentei ficar fora do seu caminho. Como eu disse, eu queria que a gente entendesse tudo isso de maneira independente. Será que fiz a coisa certa?

Penso em como sua ausência e seu silêncio me machucaram, em como tentei seguir em frente, mas alguma coisa me impedia. Penso nos Noah fantasmas que assombravam cada passo que eu dava e em como eu progredi em relação aos ataques de pânico, às novas amizades, à fotografia. Tudo que quero fazer é dividir isso com a pessoa que mais amo no mundo. Com a pessoa que me faz ser melhor. Se isso significa superar a mágoa, eu consigo.

Consigo sim, com todo o meu coração.

Mas falta uma coisa.

— E a Bella e a Sadie Lee? — pergunto.

— Bem, era isso que eu queria conversar com a Sadie Lee na Escócia. Mas ela também me surpreendeu. Sabia que a parceria dela com a sua mãe funciona superbem, não é?

— Sim, eu sei.

— Elas têm conversado há algum tempo sobre uma sociedade de verdade. Desse modo elas poderiam continuar fazendo esses eventos maiores e mais caros.

— Sério? — Meu estômago parece tremer de tanta empolgação. Isso seria a melhor coisa que poderia acontecer para a minha mãe. Meus pais sempre se preocuparam em como poderiam tocar os negócios, mas, com Sadie Lee como sócia, eles seriam imbatíveis.

Noah assente.

— Elas querem tentar, pelo menos. E, como a Bella adora isto aqui, elas vão ficar por um tempo.

Não consigo me conter. Pulo do canto do sofá para os braços dele.

— Isso está acontecendo de verdade? É sério?

— Completamente.

Por um momento, fico sem palavras. Noah me aperta contra o peito, e eu relaxo como não acontecia há meses. Depois levanto o queixo, estudo seus olhos castanhos, lembro cada reflexo dourado nas íris, como os cílios se curvam suavemente apontando para as grossas sobrancelhas. Meu olhar desce, passa pelo nariz forte, pela barba de um dia no queixo, e finalmente param nos lábios maravilhosamente carnudos.

Ele se inclina para a frente, as mãos acariciando as minhas costas, me impedindo de cair. Os lábios tocam os meus, primeiro com suavidade, depois com uma urgência maior.

De repente, os fogos de artifício de que eu sentia falta explodem na minha cabeça, uma chuva de faíscas prateadas e douradas diante dos meus olhos. Ele se afasta um pouco, mas eu enterro os dedos em seu cabelo despenteado e o puxo de volta. Sinto nele um gosto de caramelo e sal marinho, e o cheiro almiscarado familiar me invade cada vez que respiro. Não quero parar de beijá-lo.

O beijo é tão perfeito que fico na expectativa de ouvir anjos cantando e trombetas soando a qualquer momento.

Quando ele se afasta novamente, ainda estamos tão próximos um do outro que podíamos estar nos beijando. Ele afaga meu rosto e sussurra:

— Estes somos nós, Penny. Eu falei sério quando disse "para sempre".

1 de novembro

O Garoto Brooklyn Voltou

Oi, meus queridos leitores!

Prometi que esta nova interação do *Garota Online* seria mais sincera e direta, por isso tenho que contar a novidade para vocês... O Garoto Brooklyn voltou, mas ele não é mais o Garoto Brooklyn... Agora ele é o Garoto Brighton!

Às vezes os fantasmas do passado voltam para nos assombrar, e só precisamos de um tempo para descobrir se são fantasmas amigos ou não. Então, é isso: GB voltou para a minha vida. Voltou para a vida de todos nós.

É estranho, porque eu achava que, se me esforçasse de verdade, eu poderia enterrar tudo o que sinto por ele. Acontece, porém, que nem um charmoso escocês conseguiu apagar esses sentimentos. Foi aí que eu soube que eles eram tão profundos e reais que eu NÃO podia modificá-los simplesmente pela minha vontade!

Eu descobri que, quando existe um conflito entre o que a gente pensa e o que a gente sente, o coração sempre fala mais alto. Por mais que a nossa mente grite, o coração é sempre mais barulhento e mais forte. Não sei como vai ser e, para ser sincera, estou um pouco nervosa, mas deixei as preocupações de lado por enquanto e estou vivendo um dia de cada vez.

Estou tão feliz que sinto que vou explodir, e estou vivendo tudo isso *ao máximo*. As coisas estão acontecendo de um jeito supernormal, mas, ao mesmo tempo, tudo é superempolgante outra vez.

Tenho que ir. Não consigo pensar com o som do meu completamente, totalmente, absurdamente lindo e talentoso namorado tocando violão. (É muito estranho dizer isso ☺☺☺)

Garota Online, saindo do ar xxx

P.S.: Querem um guardanapo para limpar toda essa babação? ;) x

36

— Saúde ao *segundo* melhor casal do mundo junto de novo — diz Elliot, levantando um copo para brindar a nós. Convidei Elliot e Alex para a comemoração no apartamento de Noah, e pedimos uma pizza, que comemos sentados no chão (já que Noah não tem mesa de jantar), em pratos descoordenados que encontramos no fundo do armário. Ele não estava brincando quando disse que não cozinhava muito. Boa parte dos utensílios de cozinha parecem nunca ter sido usados.

Eu me aninho no ombro de Noah e brindo com minha água com gás.

— Não posso deixar de falar que foi ótimo você ter vindo para ficar, Noah — Elliot continua com um sorriso. — Talvez agora a gente possa ter aquela antiga Penny de volta, em vez dessa outra mal-humorada que tem andado por aqui ultimamente.

— Ei! — reclamo e jogo um pedaço de pão de alho na cabeça dele. Mas erro a mira, e o pão cai dentro do copo.

— Minha safra! — ele grita.

— Boa pontaria! — Alex aprova, rindo.

É assim que deve ser. Nós quatro juntos, sem nenhuma preocupação.

— E aí, o que andaram fazendo enquanto eu fiquei longe? — Noah pergunta, olhando primeiro para Alex.

— Nada de novo — Alex responde. — Eu troquei de emprego, e agora ganho mais dinheiro como garçom do que ganhava na loja de antiguidades. Acho que eles querem me treinar para ser gerente, o que seria ótimo. Além disso, passo o resto do tempo com esse maluco. — Ele dá uma cotovelada de leve nas costelas de Elliot, e quase o faz derrubar o vinho de novo.

Noah olha para Elliot, que suspira de um jeito dramático.

— Bem, você sabia que estou morando na casa da Penny, não é?

Noah franze a testa.

— Eu percebi, mas não conheço os detalhes da história.

Alex afaga a mão de Elliot, que continua falando.

— Não tem muitos detalhes para contar. Meus pais são psicopatas, por isso tive que sair de casa. — Ele ri, mas não é uma risada sincera. Não reagimos como ele esperava, e Elliot continua a explicação enquanto desliza o dedo pela borda do copo. — Eles têm brigado muito. Acho que vão acabar se divorciando, mas não consigo ficar em casa enquanto estão nessa fase. E daqui a pouco nem vai ser mais um problema meu. Tenho coisas mais importantes para pensar, como ir para a universidade e garantir que Alex vá comigo.

— Você sabe que eu vou com você. Vamos ser claros, que opção eu tenho? — Alex fala rindo, levando a mão de Elliot à boca para beijá-la.

— Que coisa chata, cara. Deve ser difícil essa história dos seus pais — Noah responde. — Já escolheu a universidade? Na última vez que conversamos, você estava pensando em uma escola em Londres, não é?

— É, o Colégio Universitário de Londres, se eu conseguir.

— Se tem alguém que consegue, esse alguém é você — Noah opina. — Não conheço ninguém mais inteligente... Além de mim, é óbvio...

Elliot acena com um gesto extravagante e se inclina como se agradecesse pelos aplausos.

— Ah, muito obrigado, gentil senhor. Eu ia ficar preocupado com a Penny sentindo saudade de mim, mas acho que isso não vai ser problema, agora que ela não está mais se escondendo como a Miss Havisham — ele responde com uma piscada.

— Ei, eu vou sentir saudade, sim! — protesto. — Mas, caso não tenha notado, desde que eu fui visitar a Megan, agora vou a Londres com a facilidade de uma profissional.

— Falando na demônia, ela falou com você depois da festa?

Balanço a cabeça.

— Não. Essa é a Megan, não é? Além do mais, ela deve estar ocupada com os ensaios para o espetáculo. A estreia é amanhã.

— Diz para ela que faço votos que ela quebre a perna. Literalmente.

— Elliot!

— Qual é? Convidar o Noah para a festa só para se tornar a abelha-rainha da porcaria da escola, sem se preocupar com os seus sentimentos ou com o tipo de confusão que isso poderia causar? Isso não me faz gostar dela mais do que já desgostava antes. Talvez eu tenha recuado do Nível Elevado de Ódio para o Protegido, mas agora voltei para o Severo.

— Do que você está falando, Wiki?

— Estou usando a escala dos três níveis da Segurança Interna dos Estados Unidos, e o Severo é o mais alto.

Franzo a testa.

— Ela não é *tão* ruim assim. Ela passou por um período muito difícil quando entrou para a escola nova. E você conhece a Megan, ela sempre se esforça nessas questões.

— Não precisa continuar defendendo a Megan, Penny. É cansativo ouvir você insistir nisso o tempo todo. Às vezes eu queria que você abrisse os olhos. Aquela mulher é o mal encarnado.

O braço de Noah fica tenso sobre meus ombros, mas não preciso que ele lute minhas batalhas por mim.

— Eu sou a amiga mais antiga da Megan — respondo com tom neutro. — Tenho que acreditar no melhor dela.

— Queria que desistisse disso. A sua amizade está sendo desperdiçada com ela — meu melhor amigo resmunga. Depois balança as sobrancelhas para mim. — Noah, pergunta para a Penny o que *ela* andou fazendo enquanto você esteve longe. Com relação à fotografia, quero dizer.

— Ah, é? — Noah se inclina para poder me encarar. Minhas bochechas ganham rapidamente um horrível tom de vermelho.

— Ainda não quero falar sobre isso — resmungo.

— Isso mesmo, é um projeto *secreto* — Elliot insiste.

— Tem a ver com o ingresso na faculdade? — Noah pergunta, e as palavras soam estranhas com seu sotaque. Nos Estados Unidos o sistema de ingresso é diferente, eles têm que acumular notas durante o ensino médio e outras coisas, e ele ainda não entendeu a diferença entre as provas de média geral de curso, que fiz no ano passado, e as provas de ingresso na universidade, que vou fazer no ano que vem. (Já tive que explicar os detalhes do ano intermediário depois da formatura do ensino médio para Noah, e ele disse: "Ah, é tipo um básico da faculdade, mas não é a faculdade como eu conheço?". E eu respondi: "Não, não é faculdade tipo universidade. É um ano que a gente faz para entrar na universidade".)

Balanço a cabeça, mas continuo de boca fechada.

— Ah, tem a ver com o estágio que você fez no verão com aquele fotógrafo famoso?

— Talvez — respondo, me arrependendo de dar até essa pequena informação. — Prometo contar tudo quando estiver pronto. Por enquanto é só uma ideia, e tenho a sensação de que, se eu falar muito sobre ela, ela vai perder força.

— Às vezes tenho essa sensação com as músicas — diz Noah. — Fico feliz por ainda estar se dedicando tanto à fotografia. Não percebi quanta falta eu sentia desse seu lado até tentar tirar fotos do mar e elas saírem horríveis. Para falar a verdade, a Bella teria feito um trabalho melhor. — Ele beija meu ombro, e eu me animo.

— Vocês dois são tão doces que eu fico até enjoado — diz Elliot.

— Não, acho que é pizza demais! — retruco.

Elliot aperta a barriga e solta um gemido.

— Ai, meu Deus, acho que você tem razão. — E fica em pé.

— O banheiro é no corredor à direita, cara — Noah avisa quando ele sai correndo.

Nesse momento meu celular toca, e, quando o rosto da pessoa que está ligando aparece na tela e vejo que é a Leah, eu digo:

— Acho melhor atender.

Noah assente e levanta as sobrancelhas numa reação preocupada, mas eu sussurro:

— Depois eu explico. — E me afasto deles.

— Oi, Leah — atendo. — Tudo bem?

— Tudo indo. Eu vi que o Noah voltou, a conta dele no Twitter está ativa de novo. Ele entrou em contato com você?

Ela não pode ver, mas eu sorrio.

— Sim — respondo, meio constrangida, mesmo sabendo que não tenho motivo para isso. — É uma longa história, mas, para resumir, decidimos tentar de novo.

Ouço o grito do outro lado da linha.

— Aaahh! Fico superfeliz por vocês. Quero saber tudo, mas agora estou ligando para contar as novidades sobre a história do vazamento da música. Tem um laptop por perto?

— Não, mas posso ver se o Noah me empresta o dele. — Volto à sala de estar e aponto para o MacBook em cima da mesinha. — Posso usar? — pergunto ao Noah.

— É claro — ele diz. Em seguida me entrega o laptop, e eu vou para a cozinha, ponho o MacBook em cima da bancada e o ligo.

— Vai acontecer alguma coisa com a Posey? — pergunto. Embora ela tenha feito uma coisa horrível, espero que nada mais aconteça com ela. Perder o papel no espetáculo já é suficientemente ruim.

— Escuta, meus advogados e técnicos trabalharam nisso durante dias — Leah explica.

Deixo escapar um longo suspiro. Isso é muito importante para Leah.

— Sinto muito que isso tenha acontecido. O que você pretende fazer?

— Por enquanto não vou entrar com nenhum processo. E a gravadora decidiu usar toda a comoção para ajudar a impulsionar a pré-venda. Vou trabalhar pra caramba nos próximos dias, mas vamos terminar o single para lançamento o mais rápido possível.

— Bom, finalmente alguma coisa legal. Que pesadelo. — Respiro aliviada por Leah tratar a história com tanta generosidade. Ela poderia insistir no processo, mas tenho a sensação de que Posey já foi suficientemente castigada.

— Enfim — Leah continua —, ontem eles encontraram uma coisa muito interessante. Mandei um e-mail para você com um link. Depois que ver o vídeo, vou deixar você decidir o que fazer. Agora tenho que correr. Estou megafeliz por você e pelo Noah. Na próxima vez que eu for para a cidade, vamos marcar um encontro.

— Combinado — respondo.

Leah desliga o telefone antes que eu possa fazer perguntas sobre o link que ela mandou para mim, então acesso rapidamente minha conta de e-mail. A mensagem de Leah está no topo da lista. O assunto é "ESTRITAMENTE PRIVADO E CONFIDENCIAL", e isso me faz engolir em seco.

Abro a mensagem e clico no link, que me leva a um vídeo em um canal privado. Assisto ao vídeo uma vez, volto e vejo de novo.

E de novo.

— Tudo bem, Penny? Você ficou branca como um papel. — Elliot está parado na soleira, olhando para mim enquanto olho para o computador. Noah e Alex viram para olhar para mim também.

Engulo em seco de novo.

— Parece que você estava certo, Wiks. A Megan não é uma pessoa em quem a gente possa confiar. Nem um pouco.

37

O vídeo que Leah me mandou é uma gravação das câmeras do circuito interno do Octave. Megan aparece na imagem mexendo no celular, e depois ela o deixa sobre a mesa de mixagem, bem em cima do botão que transmite o som da sala de gravação. Em seguida, ela se levanta e sai. Acho que deve ter sido quando subiu e foi me perguntar onde era o banheiro. Então, embora não estivesse dentro do estúdio naquele momento, ela estava gravando a música.

É difícil acreditar no que vejo. Por que Megan faria isso? E por que foi burra a ponto de pensar que não seria descoberta?

Mostro o vídeo para Elliot, Noah e Alex, e a expressão de Elliot grita *eu avisei*.

Noah passa um braço em torno da minha cintura.

— O que vai fazer, gata?

Fecho o laptop e viro para poder esconder o rosto em seu ombro.

— Não sei — resmungo e me afasto, balançando a cabeça.

— Milk shake, milk shake — Elliot começa a cantar, lembrando o dia em que jogamos milk shake na Megan em uma ocasião em que ela precisava ser enfrentada.

Minha risada é amargurada.

— Elliot, isso é sério! Se o Escândalo do Milk Shake não funcionou na primeira vez, duvido que funcione agora. — Solto um gemido estrangulado. — A Leah não vai processar a Megan, e disse que eu devo decidir o que achar melhor. — Levo a mão à boca para sufocar um grito. — Posey! Eu fui muito cruel com ela! A Posey disse a verdade *o tempo todo*, e eu não acreditei!

— Conversa com ela e esclarece tudo — Elliot diz com tom gentil. — Mas, no seu lugar, eu não contaria para a Megan que não vai ter processo. Um cara ficou preso por dois anos por vazar músicas da Madonna.

— Sério?

— Sim, violar direitos autorais é coisa séria na indústria da música. Especialmente se alguém visa a ter lucro com isso, e é o que parece, nesse caso.

Penso no dinheiro que Megan tem gastado ultimamente: a maquiagem cara comprada no Covent Garden, a festa de Halloween. Pensar nisso me dá um arrepio. Ela já traiu minha confiança antes, e eu a perdoei. Mas agora ela se meteu não com uma, mas com duas das minhas amigas: Leah, a maior prejudicada, e Posey. Megan me convenceu de que *Posey* tinha vazado a música, e ela era a culpada. Ela destruiu minha nova amizade, conseguiu o papel principal do espetáculo e mudou de status no Madame Laplage, passando de uma aluna como outra qualquer à Miss Popularidade.

A gente tem que reconhecer: a garota sabe jogar para ganhar.

Estou tremendo de raiva e sei que nunca mais vou conseguir confiar nela.

Elliot se aproxima e cochicha no meu ouvido:

— Vingança!

Por sorte, isso só serve para me tirar do estado de fúria.

— Elliot, queria que ela merecesse o esforço. Mas não merece. A única coisa que eu quero é nunca mais falar com ela. Quero que ela saia da minha vida.

— Ah, deve haver *alguma coisa* que você possa fazer. Ela não pode sair dessa impune.

Bato com um dedo no lábio inferior.

— Sabe de uma coisa, Wiks? Você está certo. Acho que tem uma coisa que ela pode fazer para consertar todo o mal que causou. — Um sorrisinho surge em meu rosto. Não vou aceitar um "não" como resposta e não vou deixar que ela escape ilesa dessa.

— Conta — Elliot pede, batendo o pé no chão com impaciência.

Balanço a cabeça.

— Agora não, mas vocês estão livres amanhã à noite? Querem ir para Londres ver um espetáculo?

* * *

Quando Alex e Elliot vão embora e fico sozinha com Noah, não consigo conter as lágrimas que inundam meus olhos. Megan pode ter sido uma péssima amiga muitas vezes, mas também foi uma boa amiga outras tantas. E recentemente ela havia se aberto muito comigo. E era ótima em relação à minha ansiedade. Mas a gente nunca pode prever algumas pessoas. Às vezes elas são maravilhosas; às vezes são o que há de pior. Mas é preciso decidir até onde a gente pode aceitá-las.

E eu cansei de aceitar a Megan.

— Penny, tudo bem. Você não podia saber.

— Não podia? O Elliot tem razão, os sinais estavam lá. Ela me fez de idiota.

— E como uma boa amiga, uma boa *pessoa*, que dá para a outra o benefício da dúvida, você escolheu acreditar que ela podia ser melhor. O fato de ela não ter sido não é sua culpa.

— As coisas que eu falei para a Posey...

— A Posey vai te perdoar. Você não sabia.

— Ah, espero que você esteja certo. Vou ter que me desculpar com ela pessoalmente. Algumas coisas não podem ser ditas por mensagem.

— E aí, pode me dar alguma dica sobre esse seu projeto secreto?

— Boa tentativa — sorrio. — Mas o fato de eu estar abalada não significa que vou revelar todos os meus segredos.

Noah leva a mão ao peito, se fazendo de ofendido.

— Acha que estou tentando arrancar segredos de você?

— Prometo que vocês todos vão saber quando chegar a hora.

— Tudo bem, eu sobrevivo.

Suspiro, e vamos sentar juntos no sofá. Um DVD roda baixinho ao fundo, um antigo documentário da BBC sobre a natureza que Elliot colocou. Nós nos distraímos assistindo às cenas, minha cabeça pousada em seu peito, e fico pensando em como combinamos.

— E você? — pergunto, olhando para a coleção de instrumentos musicais na sala.

— Hum? O que tem eu?

— Quando vou ouvir o que você está produzindo?

— Ah, você não é a única que pode fazer alguém esperar.

— Ah, é?

— Não. Acho que eu resisto a essa cara? Tenho uma coisa superespecial em que estou trabalhando e você *vai* ter que esperar para eu te mostrar, mas vou tocar alguma coisa diferente para você.

Ele se aproxima do piano, o que me surpreende, porque nunca ouvi Noah tocar piano antes. Seus dedos se posicionam sobre as teclas, e ele os flexiona. Então começa a tocar uma bela melodia, as mãos se movendo pela extensão do teclado com a velocidade conferida pela prática.

Ele canta os primeiros versos, mas no começo é tão maravilhoso ouvi-lo cantar ao vivo de novo (tenho escutado seu disco desde que ele se afastou de mim, é claro), que esqueço de prestar atenção à letra. Quando me concentro nela, percebo que a canção é sobre alguém que sente que está se afogando em um mar escuro. A música é lenta e triste, mas muito emocionante, e, quando se aproxima do fim, ela cresce até atingir um apogeu monumental.

Quando a última nota paira no ar entre nós, eu aplaudo.

— Gostou? — Noah parece nervoso, mas satisfeito.

— É linda! — elogio.

— Escrevi no período mais difícil, quando cheguei a Brighton depois de desistir da turnê. Como eu disse, a letra e a música meio que... transbordaram de mim. Mas tinha que ser uma canção para piano, não para violão. Eu precisava desse som mais sério, mais firme. Ainda não mandei a música para a Fenella.

— Ela também vai achar que é ótima, tenho certeza.

— Ora, minha profunda gratidão — ele fala, debochado, imitando o sotaque sulista de Sadie Lee.

— Ainda não consigo acreditar que você vai morar aqui.

— É meio maluco, não é? Quero que me leve para fazer todas as coisas tipicamente inglesas. Talvez eu comece treinando um sotaque britânico.

— *Nããããooo!* Eu adoro o seu jeito *nova-iorquino* de falar. — Tento imitar um sotaque americano, mas o que sai é uma mistura de irlandês, indiano e francês.

— Tudo bem, sem sotaques! — ele grita. — Mas quero experimentar todos os costumes britânicos. Talvez a gente possa ir visitar a rainha no Palácio de Buckingham?

— E tomar o chá da tarde!

— Assistir a um jogo de futebol!

Faço uma careta.

— Ah, não, torcedor de futebol também não.

— Não se preocupe com isso — Noah ri. — Se eu não era fanático por nenhum esporte nos Estados Unidos, duvido que atravessar o oceano vá mudar alguma coisa.

— E também podemos visitar as termas romanas, ir a um festival ou aprender a falar sobre o tempo sem parar.

— Se for com você, eu topo qualquer coisa.

— Isso vai ser megadivertido — falo. Não me lembro da última vez que me senti tão feliz e satisfeita. Eu me aninho no peito de Noah, e nossos pés ficam entrelaçados de um lado do sofá em L. O brilho da lua lá fora reluz através de uma das janelas, iluminando nossos dedos. Queria poder engarrafar essa luz e levá-la para casa comigo.

Pensar nisso provoca uma lembrança indesejada.

— Tenho que ir para casa — aviso depois de olhar que horas são.

— Estou muito feliz por estarmos juntos de novo.

— Eu também.

— Tem certeza de que não quer que eu vá com você e Alexiot amanhã?

— Tenho, preciso resolver isso sozinha.

— Bem, não se preocupe. Você consegue. Eu confio em você.

É o incentivo de que preciso para acalmar meu estômago. Amanhã vai ser um dos dias mais difíceis que já tive de enfrentar.

38

A escola no dia seguinte é pura tortura. Todo mundo está falando sobre a festa da Megan, como foi legal e como torcem para ela repetir a dose no próximo ano. Seu plano de popularidade segue em frente sem nenhum tropeço. Exceto aquele que eu planejei.

Mal consigo me concentrar o dia inteiro, tanto que a srta. Mills tem que me chamar três vezes antes de eu finalmente levantar a cabeça.

— Penny? — Ela parece irritada.

— Desculpa, estava com a cabeça em outro lugar.

— Eu percebi! Posso falar com você depois da aula?

— Ah... — Olho para o celular. Eu esperava ir embora assim que a aula de fotografia terminasse. Dessa forma, chego a Londres a tempo de interceptar Megan e colocar meu plano em prática.

— Penny...?

— Sim, é claro — respondo. Posso perder alguns minutos, e me sinto suficientemente culpada por ter ignorado minha professora favorita.

Então, quando escuto o sinal, eu me aproximo da mesa dela, onde ela está separando alguns papéis.

— Não tenho te visto muito ultimamente — a professora diz sem levantar a cabeça.

— Estou trabalhando. É que... ainda não estou preparada para mostrar o meu projeto.

Agora ela olha para mim e estuda o meu rosto. Tento fazer minha melhor cara inocente. Não costumo esconder dela as coisas que eu faço, nem mesmo o que ainda não está pronto, mas isso é diferente. Só uma pessoa viu essas fotos até agora e me incentivou a continuar. A ideia ainda é como uma bolha cintilante em uma banheira de espuma. Frágil demais, e tenho medo de que, se muitas pessoas a virem antes de estar pronta, ela simplesmente estoure.

— Tudo bem. Só espero que não se distraia demais. Esse é um momento importante para você. — Ela sorri para mim. — Li seu blog. Que bom que está feliz. Mas não permita que isso ponha a perder o progresso que fez até agora. Você é brilhante por si só, Penny.

— Não vou permitir, prometo.

— Até amanhã, então.

— Até amanhã.

Assim que saio da sala da srta. Mills, sou abordada por Kira. Mordo o lábio. Se não for embora logo, não vou ter tempo suficiente...

— Vai para Londres mais tarde? Nós também vamos. Podemos ir juntas? Você já esteve na escola antes, sabe onde fica, assim a gente não se perde.

Ela fala tão depressa que quase não tenho tempo para registrar o significado do que diz.

— Espera, o quê? Vocês vão ver o espetáculo hoje à noite?

— Ai, onde você está com a cabeça, Penny? A Megan quer que *todo mundo* esteja lá.

— A Megan convidou todo mundo?

— Sim, ela disse que tinha muitos ingressos, e você sabe como é. Ela quer que todos vejam a grande estreia dela.

Engulo em seco. Isso torna meu plano ainda mais difícil.

— Então, você vai? — Kira pergunta de novo.

— Sim, eu vou, mas minhas aulas já acabaram. Vou para Londres agora, quero encontrar a Megan antes do espetáculo.

— Ah, puxa. Bom, tudo bem, a gente se vê lá.

— É claro. Até mais tarde.

Tenho o tempo certinho para pegar o trem. Preciso embarcar no próximo, se quero ter alguma chance de pôr meu plano em prática. Mordo o lábio ao pensar nisso.

Meu celular vibra anunciando uma mensagem.

> Oi, Penny. Desculpa, mas não vou ter tempo pra te encontrar antes do espetáculo. As coisas estão meio malucas. Eu sei que vai entender

Nenhum beijo no fim, nenhum emoji... A Megan ainda está ressentida depois da festa. E agora que tem todo mundo na escola — na antiga e na Madame Laplage — comendo na mão dela de novo, ela não precisa mais da velha amiga.

Ela nunca foi sua amiga, me lembro.

Ela só te usou.

Lágrimas inundam meus olhos. Pensei que conhecia a Megan e que ela me conhecia. Mas me lembro das palavras dela, do que disse sobre os alunos da Madame Laplage.

Todo mundo quer ser uma estrela.

Ninguém quer isso mais do que a Megan.

Ela está preparada para fazer tudo que for necessário, custe o que custar.

E a única pessoa que pode detê-la sou eu.

39

O teatro está silencioso nas poucas horas que antecedem o espetáculo. Está tudo pronto e o lugar parece vazio. É como a calmaria antes da tempestade. O cenário pretende transportar o espectador para a cidade de Nova York, e me lembro de quando fizemos *Romeu e Julieta* na escola. Nosso professor de teatro escolheu o Brooklyn como cenário para a produção. Talvez ele também fosse fã de *West Side Story*. Consigo ver, porém, que esse cenário tem uma qualidade muito superior àquele que tivemos na produção da escola, e, se fechar os olhos, quase consigo me ver em uma rua de Manhattan. Felizmente, Megan fez questão de me mostrar tudo na minha última visita, porque sei aonde ir.

Chego à porta do camarim principal, que tem um pedaço de papel colado do lado de fora com o nome "MARIA" rabiscado. Respiro fundo e bato.

— Entra! — diz a voz melodiosa de Megan.

Ela tem no rosto um sorriso largo que desaparece quando vê que sou eu. Não sei quem ela estava esperando, mas não era eu, evidentemente.

— Ah. Oi — ela diz, irritada. — Não recebeu a minha mensagem? — Megan vira para o espelho e continua o trabalho de espalhar a primeira camada de maquiagem. O cabelo castanho foi escovado até brilhar como um espelho, e tenho que admitir que ela parece ter nascido para ser uma diva dos palcos. Pena ela ter escolhido chegar lá por um caminho tão sujo.

— Recebi, sim — respondo. — Mas isso é importante.

— Tão importante que não podia esperar até depois da apresentação?

Decido falar de uma vez, antes que perca a coragem.

— Eu sei que foi você quem vazou a música da Leah.

Megan faz uma pausa breve, depois deixa os pincéis sobre a bancada e vira para mim.

— É muito atrevimento! Já falei que não fui eu. Eu nem estava lá. Só pode ter sido a Posey...

Reviro os olhos e cruzo os braços.

— Para com isso, Megan. A Leah tem as imagens das câmeras do circuito interno.

— Tudo bem — Megan fala, insegura. Pelo menos agora ela tem a decência de se mostrar menos confiante.

— Ela pode decidir te processar — continuo.

Megan empalidece.

— Ela vai?

— Não — respondo. — Você *não vale nem isso.*

— Bom, então não temos mais nada para dizer uma à outra. Se isso significa que não tenho mais que ser sua amiga, acho que todo mundo sai ganhando.

Meu queixo cai.

— O que foi que eu te fiz? — pergunto, chocada.

— O que você fez? Esse papel era para ser meu. A garota ia desistir dele. Aí você apareceu e deu uma *enorme* injeção de confiança na menina... e teve a coragem de me levar junto? Pensei que fosse *minha* amiga! Você conhece uma garota do nada e depois de duas semanas fica do lado dela? Que tipo de "amiga" é essa, Penny?

Franzo a testa.

— O quê? Eu sou sua amiga. Ou, pelo menos, eu era sua amiga. Mas dessa vez você foi longe demais, Megan.

— O que você quer, Penny? Se não se importa, tenho que me arrumar para o espetáculo.

— Devolve o papel para a Posey.

Megan dá risada, mas para de novo rapidamente.

— Está *brincando*? Não, Penny. Eu trabalhei muito para isso, e você não vai tirar tudo de mim agora.

— Tenho as imagens do circuito interno, elas mostram você gravando a faixa. Posso contar para todo mundo que foi você.

Megan fica em pé e joga o cabelo para trás.

— Quer saber, Penny? Quem liga para isso? A música vazou. Eu ganhei muito dinheiro, a Leah teve uma tremenda exposição... Está tudo bem. Acho que agora você devia ir embora. Além do mais, sei que não é da sua natureza divulgar nenhum vídeo. Isso te faria tão má quanto eu. E você é muito boazinha para fazer qualquer coisa.

Percebo que meu plano está começando a desmoronar. Megan tem razão, eu não seria capaz de divulgar o vídeo para prejudicá-la. Mas tenho que tentar de novo, preciso fazê-la recuar, pelo bem de Posey.

— Não sei onde as coisas deram tão errado para você, Megan. Eu dei o benefício da dúvida antes, mas você mudou. Para pior. Não é quem eu pensei que fosse. A Megan que eu conheci era boa e tinha consideração. Gostava de fazer as pessoas felizes. Não era essa pessoa dura e egoísta que passa por cima dos outros para conseguir o que quer. Acho que o mínimo que você pode fazer é devolver o papel para a Posey.

— Não.

— Tem certeza? — Uma voz suave pergunta atrás de mim, e Megan fica muito pálida.

Olho para trás.

— Madame Laplage? — Megan exclama, surpresa.

Atrás de mim está uma mulher alta, de aparência severa, com um grande buquê de flores amarelas e brancas que ela joga sem nenhuma cerimônia sobre a mesa perto da porta do camarim. Deve ser a famosa diretora da escola. Ela cruza os braços.

— Será que pode explicar o que está acontecendo? — ela me pede.

— Ela nem estuda aqui! — Megan interfere. — Está invadindo...

Então vejo a formidável madame Laplage de quem ouvi falar tanto, porque ela é capaz de silenciar Megan com um simples olhar. Depois se vira de novo para mim. Felizmente, seu olhar é mais suave outra vez. Mais encorajador.

Abro a boca, mas não consigo dizer nada. Não sei se posso delatar Megan, não para alguém tão importante quanto madame Laplage, pelo menos. Então percebo que tenho que falar, pelo bem de Posey. É Posey quem tem que estar neste camarim.

— A Megan aceitou dinheiro para vazar uma das músicas da Leah Brown — falo depressa — e pôs a culpa na Posey Chang, que abandonou a produção por causa disso.

Madame Laplage balança a cabeça lentamente.

— Isso é verdade, Megan?

Megan olha para o chão e não responde.

— Não gostamos de ladrões aqui na minha escola.

— Ladrões? — Megan guincha.

— Exatamente. Somos uma renomada escola de artes. Tratamos os direitos autorais com extrema seriedade. E o fato de ter acusado falsamente outra aluna e tirado proveito da falta de confiança dessa menina para tirar o papel que era dela... Olha, já conheci estudantes com resultados sofríveis que usaram ardis para ficar com o papel principal antes, mas esse é *de longe* o pior exemplo desse terrível comportamento!

Ela ergue os ombros e parece crescer, e Megan e eu nos encolhemos.

— Você está proibida de frequentar a minha escola. Sua vaga está temporariamente cancelada.

— Não, por favor! — Megan retruca, tremendo. — Garanto que aprendi a lição! Madame Laplage, eu não tive a intenção... A Penny tem razão, eu não sou assim... não no fundo... só queria muito esse papel. Não pensei em mais ninguém...

Mas madame Laplage mantém a expressão dura.

— Se quer uma segunda chance, vai ter que esperar até *depois* da produção, quando analisaremos tudo com mais calma. Enquanto isso, não é bem-vinda aqui e vai ter que deixar o camarim.

Megan passa por mim, furiosa, me olhando com a cara mais feia que consegue fazer. Estou chocada. Mas Megan deixou claro que não ia nem se desculpar pelo que fez. Não ia nem tentar consertar as coisas, devolvendo o papel a Posey. Ela merece ser expulsa.

Madame Laplage volta seu olhar de aço na minha direção como se realmente me visse pela primeira vez.

— Você é aluna aqui?

Balanço a cabeça. De repente, me sinto muito deslocada nos bastidores do teatro.

— Mas conhece Posey Chang?

Assinto.

— Então, sugiro que vá procurá-la depressa e avise que ela tem que se preparar para a apresentação esta noite. Estamos todos esperando, ansiosos.

Assinto mais uma vez e saio correndo, lembrando na última hora de dizer:

— Obrigada, madame.

Ela é *MUIIITO* aterrorizante! Eu não queria estar no lugar da Megan agora.

* * *

Desta vez, quando bato na porta, minha disposição é bem diferente. Tem um sorriso enorme no meu rosto e mal consigo me segurar para não dançar de entusiasmo.

— Oi? — Posey fala ao abrir a porta.

— Oi, sou eu — digo.

Fico esperando que ela bata a porta na minha cara, mas Posey sorri ao me ver. Depois se lembra do que aconteceu, e o sorriso desaparece. De repente ela parece amedrontada.

Meu estômago ferve de culpa. Não acredito no que fiz com essa menina, essa pessoa de quem devia ser amiga. Ponho a mão na porta.

— Posey, queria pedir desculpas por não ter acreditado em você.

— Ah, é? — Ela abre a porta um pouco mais.

— Agora eu sei que não foi você. Eu nunca devia ter acreditado nisso. Posso não te conhecer há muito tempo, mas sei que é melhor que isso.

Os olhos dela brilham por causa das lágrimas.

— Obrigada, Penny. Não sabe quanto isso significa para mim. Eu fiquei supertriste com a possibilidade de a nossa amizade acabar por causa de uma coisa que nem era verdade.

Respiro fundo.

— E também vim te trazer uma notícia. A Megan não vai poder ser a Maria hoje à noite.

Posey arregala os olhos.

— O quê? Por que não?

— Ela foi expulsa por desrespeitar as regras.

— Não! Isso não pode ser verdade.

— Ela te acusou de vazar a música da Leah e forçou a sua desistência do papel. A madame Laplage está furiosa. E foi ela.

— Você está dizendo... que a Megan vazou a música da Leah?

— Exatamente! Eu não devia ter confiado nela. Eu devia ter me tocado há muito tempo. Fui uma idiota.

— Ai, meu Deus! — Posey volta para dentro do quarto e cai na cama, como se as pernas não a sustentassem mais. Também estou me sentindo atordoada, por isso entro e me sento ao lado dela. — Mas tem muita gente que vem para ver a Megan — Posey continua. — E ela postou no blog, no Twitter e no Facebook... O que ela vai dizer para todo mundo?

Dou de ombros.

— Problema dela. A Megan devia ter pensado nisso antes de roubar a música.

— Uau! Não acredito que foi ela. Mas, caramba, como está se sentindo com isso, Penny? Você está bem? — Os olhos dela transbordam preocupação.

— Estou. Um pouco abalada, mas feliz por tudo estar se resolvendo. Enfim, a grande notícia é que quando a madame Laplage soube como a Megan conseguiu o papel de Maria, como ela mentiu sobre você ter gravado a música e tudo, ela disse que o papel de Maria hoje é seu. E me mandou vir aqui te avisar e dizer que você tem que se preparar.

Posey olha para o chão.

— Mas, Penny, ainda acho que não consigo. Estou acostumada com a ideia de ter só um papel pequeno na peça... — As mãos dela começam a tremer. — Está vendo? Não consigo nem pensar nisso sem o medo de palco voltar. Tenho certeza que outra pessoa pode ficar com o papel. Não sei nem se lembro o texto... e as dicas... eu estava ocupada aprendendo as coisas do coro. E se eu errar tudo? Vou ficar com uma nota horrível e perder a vaga. — As palavras começam a se atropelar até virarem uma enxurrada.

— Posey. — Eu a seguro pelos ombros. — Fecha os olhos. Respira.

Ela fecha os olhos e respira fundo algumas vezes, e aos poucos vai voltando a respirar normalmente.

— Você consegue — continuo. — Você nasceu para isso. Você conhece esse papel até do avesso. Só reconheça o nervosismo. Reconheça o medo. Imagine... — Retomo a metáfora da árvore que Leah ensinou. — Pense neles como uma chuva. A maioria das pessoas quer sol o tempo todo, mas você sabe que tem que chover. A árvore precisa da chuva para sobreviver. Você pode usar o medo como um impulso e fazer a apresentação da sua vida. Não tente fingir que o medo não está aí. Lembre-se de que nada realmente ruim vai acontecer, você vai sobreviver, seus amigos e sua família vão continuar te amando. Dê ao medo o respeito que ele merece e siga em frente. Em algumas noites, ele pode ser grande demais. Mas esta noite não vai ser uma delas. Você *consegue*, você *QUER* isso. Eu acredito em você, Posey. — Tiro da bolsa um saco de papel pardo e ofereço a ela. — Pega, eu trouxe para você.

Ela pega o saco e olha dentro dele.

— Ah! — exclama e tira da embalagem um bonsai, com um tronco grosso e uma copa de folhas verdes e brilhantes, cada uma do tamanho da unha do meu dedo mínimo.

— Achei que precisava de um lembrete de que existe dentro de você uma árvore de confiança que te dá coragem para seguir em frente. E não é muito difícil cuidar dela!

— Penny, eu adorei! — Ela põe a árvore em miniatura em cima da mesa e olha para ela por alguns instantes.

Quando olha para mim de novo, tem alguma coisa diferente em seu olhar. Uma determinação que eu não tinha visto antes. Em seguida, olha para o relógio de pulso e grita, assustada.

— Eu tenho trinta minutos... Preciso correr!

— Sim! — eu também grito, querendo pular e gritar de novo. Ela vai conseguir. Vai mesmo!

Posey me abraça e pulamos juntas, eufóricas. Depois ela corre de um lado para o outro, jogando roupas e maquiagem dentro de uma bolsa.

Quando saímos do quarto, ela me faz parar na porta. A primeira coisa que penso é que mudou de ideia. Mas ela sorri para mim.

— Sabe, Penny, você é muito boa nisso.

— Em quê?

— Ajudar as pessoas.

Fico muito vermelha.

— Como assim?

— Ninguém nunca entendeu meu medo de palco. Todo mundo achava que era uma fase que eu ia superar.

— Acontece que eu sei como você se sente, porque eu sofro de ansiedade. E sei que isso acontece por coisas que estão fora do seu alcance, das quais você não tem culpa. — Penso no acidente de carro que quase provoquei com meus ataques de pânico. — Não devemos deixar as experiências ruins estragarem a nossa vida. E, no seu caso, isso significa garantir que elas não sejam obstáculos para os seus sonhos. Agora tenho que ir. Te vejo mais tarde?

Ela segura minha mão.

— Vem comigo, fica nos bastidores. Posso ter outra crise. Mas, se você estiver lá, eu *sei* que vou conseguir.

Sorrio.

— Vai ser um prazer!

40

A área dos bastidores não poderia ser mais diferente do que era duas horas atrás. A confusão é geral. Tem gente correndo por todos os lados, vestindo figurinos, e as luzes do palco piscam enquanto os técnicos ensaiam os diferentes arranjos. Saio do caminho para não ser atropelada por um carrinho cheio de saias rodadas e armadas.

— Ah, que bom que encontrou nossa estrela! — A voz de madame Laplage ecoa nitidamente quando corremos para o camarim de Posey.

— Madame Laplage! Foi muita gentileza sua. — Posey quase se curva, como se encontrasse a realeza, mas para no último instante.

— Não, minha querida, de jeito nenhum. Recebi relatórios de vários professores sobre sua maravilhosa audição, e você foi muito bem nos ensaios. Mas não se preocupe, todo mundo tem um ensaio com figurino, pelo menos, que não é muito bom — ela acrescenta com uma piscada. — Isso praticamente garante um bom desempenho na estreia. Agora vá se arrumar.

Posey corre para o camarim, e fico sozinha com a formidável madame Laplage.

— Posso ficar nos bastidores, madame? A Posey acha que isso vai ajudá-la.

Ela olha para mim de cima e comprime os lábios.

— Ah, odeio mãos desocupadas nos bastidores. Tem alguma coisa que saiba fazer? Maquiagem? Ajudar os atores com os figurinos?

— Sei tirar fotos — falo baixinho.

— Ah, ótimo. Já temos um fotógrafo na produção, mas não faz mal contar com duas perspectivas. Trouxe seu equipamento?

Puxo a mochila para a frente sem tirá-la do ombro e mostro a câmera lá dentro.

— Fantástico. — Ela aplaude. — Vá trabalhar, então! — E sacode o vestido com um gesto dramático ao se virar para ir intimidar outros alunos. Solto o ar que nem sabia que estava prendendo. De algum jeito, embora estejam em lados extremamente opostos das artes cênicas, aposto que madame Laplage e minha mãe se dariam muito bem.

Tiro a câmera da mochila e, com a outra mão, mando uma mensagem para minha mãe, Elliot e Alex, contando que vou ao encontro deles depois da apresentação. Em seguida deixo o celular no silencioso e começo meu "novo trabalho".

Essa é a parte de que mais gosto. Quando a câmera está nas minhas mãos, é quase como se eu me tornasse outra pessoa, alguém que não tem medo de fotografar o modelo certo de qualquer ângulo, que vai fazer praticamente tudo para capturar um momento único. Vejo um grupo do corpo reunido, fazendo aquecimento vocal, e tiro uma foto. Depois disso, tudo se torna quase automático. Apontar, fotografar, focar novamente.

Só paro quando vejo no visor outra câmera nas mãos de um garoto alto, loiro, com cabelo levemente ondulado.

Ele abaixa a câmera primeiro e sorri para mim, acanhado. É claro que o fotógrafo da produção que madame Laplage mencionara era Callum!

— Oi, amiga — ele diz.

— Oi — respondo, meio tímida.

— Pode me ajudar? Estou com dificuldade para achar a configuração certa nessa iluminação fraca aqui atrás do palco.

E assim, sem nenhuma dificuldade, voltamos a falar sobre câmeras, e percebo como é diferente ter por perto alguém tão apaixonado quanto eu por esse assunto, mesmo que seja só uma amizade facilitada pela nossa paixão por fotografia, não um relacionamento.

— Cinco minutos para a cortina subir!

— Tenho que ir para o meu lugar — diz Callum. — A gente se vê por aí?

— Mais tarde. Não esquece da velocidade do obturador!

— Não vou esquecer — ele responde e vai para a frente do teatro para tirar fotos do fosso da orquestra. Posso ouvir os músicos se aquecendo, prontos para tocar as primeiras notas da abertura. À minha volta, fotografo pessoas se preparando para o começo da apresentação, todas muito nervosas. Agora que as pessoas vão ocupando seus lugares, há uma estranha agitação na plateia, somada à tensão da expectativa em relação ao espetáculo que vão ver.

— Penny?

Vejo Posey sair do camarim absolutamente radiante. Seu cabelo escuro e brilhante foi penteado no estilo da década de 50, e o rosto foi maquiado para tornar os traços bem visíveis no palco. Um pequeno microfone foi entrelaçado nos cabelos dela e cai discretamente sobre a testa. Ela tem a aparência de uma estrela.

— Posey, ou devo dizer *Maria*, você está incrível!

Ela morde o lábio pintado de vermelho.

— Ainda não contei para a minha mãe que vou fazer a Maria de novo.

— Talvez seja melhor assim. Está preparada?

— Tão preparada quanto posso estar.

Posey não entra logo no início; ela tem que esperar o desenrolar das primeiras cenas. Posso senti-la tremendo ao meu lado, uma pilha de nervos tão tensos quanto as cordas de um piano. Seguro a mão dela e cochicho:

— Pensa na árvore.

— Pode deixar — ela diz.

Então, Posey solta minha mão rapidamente, planta um enorme sorriso no rosto e entra no palco. As primeiras notas tocadas pela orquestra parecem pairar no ar por muito tempo, mas depois ela começa a cantar como se tivesse nascido para isso.

Meus olhos ficam cheios de lágrimas.

E os aplausos quando ela termina o primeiro solo são quase ensurdecedores.

Sinto o peso de uma mão em meu ombro, levanto a cabeça e vejo madame Laplage olhando para mim.

—Talvez queira ir para a plateia agora. Você já fez seu trabalho aqui, e vai poder apreciar melhor o espetáculo de lá.

Assinto.

Não há lugar onde eu queira estar mais do que naquela plateia, aplaudindo até ficar com as mãos vermelhas, juntando-me aos estrondosos aplausos que envolvem Posey.

41

Todos aplaudem de pé.

A plateia se levanta toda ao mesmo tempo, ovacionando os atores no palco. A apresentação foi impecável e o elenco teve um desempenho perfeito. Posey é incrível como Maria, perfeitamente afinada. Quando ela cantou, muita gente ficou com lágrimas nos olhos na plateia. Para os alunos, essa podia ter sido uma apresentação obrigatória do curso, mas a sensação era de que todos se apresentavam por puro prazer. Talvez seja essa a diferença entre amar totalmente alguma coisa e só fazê-la por obrigação. Consigo ver cada um deles com uma carreira bem-sucedida no West End ou na Broadway, e, se eu fosse madame Laplage, daria nota máxima para todos.

Quando Posey volta ao palco para agradecer, assobio alto e grito:

— É isso aí, Posey!

Ao meu lado, minha mãe afaga meu braço, e Elliot e Alex estão radiantes.

— Que show! — Elliot exclama quando o barulho diminui e podemos conversar normalmente de novo. Mesmo assim, uma vibração ainda ecoa no auditório, o som de uma plateia satisfeita, discutindo o espetáculo.

Os olhos de minha mãe brilham, repletos de lágrimas.

— Parece que voltei no tempo da minha juventude — ela diz. — Tinha esquecido como eu amo essa peça. E a Posey foi maravilhosa. Não acredito que ela chegou a desistir do papel principal! Mas o que aconteceu com a Megan? — Ela olha confusa para o programa. O nome de Megan ainda integra o elenco no papel de Maria, com um pedaço de papel impresso de última hora, anunciando a mudança de protagonista e apresentando Posey.

— É, o que aconteceu com a cobra favorita de todo mundo? — Elliot indaga. — Ela não estava nem no coro, pelo que vi.

— Descobriram que ela forçou a Posey a desistir do papel principal e que foi ela quem vazou a música da Leah. Pela lei de direitos autorais, o que ela fez foi roubo, e a escola não podia deixar isso passar em branco. Ela foi tirada da produção no último minuto.

— Ah, Megan! — minha mãe se espanta. — Bem, ela colheu o que plantou.

Elliot e eu olhamos surpresos para minha mãe. Normalmente, ela é a mais ferrenha defensora de Megan.

— Que foi? — ela pergunta. — Ninguém se mete com a minha Penny e sai impune.

Vamos para o saguão. Vejo Kira e Amara com alguns alunos de Brighton que foram ver a grande estreia de Megan. Todos estão confusos, analisando o programa. Quando me veem, as gêmeas acenam para mim, e eu me afasto de minha mãe e Alexiot para ir falar com elas.

— O que achou? — pergunto a Kira, tentando manter meu tom de voz normal.

— O espetáculo foi legal, mas pensei que tínhamos vindo para ver a Megan. Falou com ela mais cedo? O que aconteceu?

— Ah, vou deixar a Megan contar essa história.

— Ah, por favor! Conta pra gente — pede Amara.

É tentador contar tudo a elas, mas não vou falar sobre o que aconteceu. Não vou fazer fofoca. Já fui vítima de gente que quis escrever a minha história por mim, distorcendo os fatos reais para além da verdade, e não vou contribuir para isso. Nem com meu pior inimigo.

Além do mais, Kira, Amara e os outros não vão ter que esperar muito. Os alunos de teatro da Madame Laplage, aqueles que estavam no espetáculo, estão saindo pela porta lateral e correndo para abraçar pais e amigos. Mas, como a própria Megan disse, uma das moedas mais fortes da escola, como em qualquer outro lugar, é a fofoca. As notícias voam. Todo mundo está falando sobre a cena entre madame Laplage e Megan Barker. Todo mundo sabe que ela deve ter feito algo muito grave para ser expulsa da escola.

Sinto alguém bater no meu ombro.

— Penny?

Viro e vejo Posey ao lado de uma mulher alta e magra com os mesmos cabelos negros e brilhantes e os mesmos olhos escuros dela.

— Esta é minha mãe, Christine.

— Ah, é um prazer conhecê-la, sra. Chang. — Estendo a mão.

Em vez de apertá-la, ela me surpreende com um abraço.

— Obrigada por tudo que tem feito pela minha Posey. Ela contou que nunca teria subido naquele palco esta noite se não fosse por você.

Fico vermelha.

— Sinceramente, o mérito é todo dela.

— Não tenho tanta certeza disso. *Você* despertou a coragem que eu sempre soube que a minha filha tinha.

— Ela é uma garota única — respondo.

— Vocês duas são — a sra. Chang diz. — E estou feliz por ela ter uma amiga como você.

Sorrio com carinho para Posey.

— O sentimento é recíproco, pode ter certeza.

42

Quando o sinal toca no fim da última aula no dia seguinte, estou aflita para sair, por isso corro para a porta. Passei o dia todo pensando em como a maré pode virar para uma pessoa — Megan, nesse caso —, e até senti um pouquinho de pena dela. Ninguém sabe todos os detalhes, mas há muita especulação, e ninguém supõe nada de bom. Todo mundo me atormenta com perguntas, mas me recuso a divulgar o que sei.

Mas não é só por isso que estou ansiosa pelo fim do dia na escola. Hoje é o primeiro dia que posso descer a escada da escola e mandar uma mensagem para Noah, sabendo que vou poder vê-lo.

Oi, está por perto? xxx

E, quando eu mando a mensagem, tenho um grande sorriso no rosto. Parece um motivo ridículo para estar feliz, mas Noah e eu nunca conseguimos ter esse tipo de relacionamento normal. Aquele em que você sabe que a pessoa não está a milhares de quilômetro de distância. Um relacionamento em que não conversamos só pelo Skype, não calculamos o fuso horário e não passamos o tempo todo pesquisando o preço das passagens aéreas.

Essa é nossa chance de descobrir se podemos dar certo. E isso começa com as coisas normais.

Ele responde em alguns segundos.

> Estou com E e A na creperia. Quer vir pra cá?
>
> N x

Caminho ainda mais animada. Todas as minhas pessoas favoritas estão no mesmo lugar, e estou megaempolgada!

A escola fica um pouco afastada da Lanes, por isso pego um ônibus a caminho da orla. Tem muita gente lá dentro, incluindo alguns alunos da minha escola, todos olhando para o celular. Quero tirar uma foto, mas não vou conseguir fotografar discretamente. Em vez disso, espero e torço para o motorista ir mais depressa.

A pequena creperia fica em uma rua de paralelepípedos, quase na orla. Quando entro, a garçonete sorri para mim e aponta para baixo.

— Obrigada — digo e passo por uma mesa de turistas. Ouço o nome de um astro bem conhecido que mora em Brighton, e sei que, se eles esperam vê-lo, vão ficar decepcionados. O que essas pessoas diriam se soubessem que um famoso cantor americano está logo ali embaixo, descendo a escada?

O andar de baixo é ocupado por mesas, e vejo meus amigos em uma delas, no fundo. Elliot me vê primeiro e acena, agitado, para me chamar. Sento ao lado de Noah e bebo um gole de sua Coca.

— Ei! — ele reage, fingindo indignação. Depois me beija no rosto.

— Que foi? Estou com sede! — Rio.

— Sabia que os crepes são da região da Bretanha, na França, onde são chamados de *krampouezh*? — Elliot comenta, comendo um cheio de morangos e chantilly.

— Quer pedir alguma coisa? — a garçonete pergunta atrás de mim.

— Só uma limonada, por favor.

Quando minha bebida chega, Elliot levanta o copo.

— Quero fazer um brinde. À galera *toda* finalmente reunida, e a Noah ter recuperado o bom senso.

— Saúde! — todos nós dizemos, levantando o copo para brindar.

— E... — Um sorriso acanhado aparece no rosto de Elliot. — Um brinde à Mega-Nojenta, que finalmente teve o que merecia.

— Acho que você devia falar mais baixo — diz Alex.

— Por quê? Ao tombo da Mega-Nojenta, é isso aí!

Alex agora está dando cotoveladas nas costelas de Elliot, que protesta:

— Ai! Para com isso! — Mas ele levanta a cabeça, olha por cima do meu ombro, e sua boca se abre em um "O" de surpresa.

Olho para os dois como se tivessem ficado malucos, mas sinto um arrepio nas costas, como se alguém estivesse me observando. Viro com a sensação de que estou me movendo em câmera lenta, como se estivesse em uma poça de calda de açúcar. E, quando olho para trás, lá está Megan. Ela prendeu o cabelo em um rabo de cavalo e está de cara lavada, sem nenhuma maquiagem. Seus olhos estão vermelhos de tanto chorar, o lábio inferior tremendo. Dou uma olhada rápida em volta, mas não tem nenhum milk shake à vista.

E não me espanto, porque, descendo a escada logo atrás dela, está sua mãe. Se tem alguém mais assustadora que a própria Megan, esse alguém é a sra. Barker. Ela se senta em uma das mesas perto da escada enquanto Megan se aproxima de nós, hesitante.

— Oi, Penny — ela fala em voz baixa.

— Oi, Megan — respondo e engulo em seco. Noah toca minha perna por baixo da mesa, para me incentivar. Elliot encara Megan.

— A Kira falou que você estava aqui. Eu sei que você provavelmente não quer falar comigo e entendo que nunca mais vai querer ser minha amiga, mas queria pedir desculpas pelas coisas que eu disse ontem e por tudo o que fiz com você, com a Posey e a Leah. Sei que não foi certo. Não acredito que deixei as coisas saírem do controle daquele jeito.

— Hum... tudo bem — respondo, meio insegura.

— Sei que é difícil entender — ela continua como se lesse meus pensamentos. — E não espero que me perdoe, mas escrevi o que penso e publiquei no meu blog. Só para você saber que não estou mais me escondendo.

Levanto as sobrancelhas. Eu esperava que Megan tentasse proteger sua reputação a qualquer preço, não que postasse um pedido público de desculpas para os amigos, a família e o mundo inteiro ver.

— Depois de ler o post, pode avisar para a Leah Brown? Não tenho como procurá-la para pedir desculpas pessoalmente.

— Eu digo a ela — respondo.

— Obrigada. — Ela vira para voltar para perto da mãe.

— Megan, espera — eu chamo.

— Oi?

— O que vai fazer agora? Com relação à escola, quero dizer?

— A madame Laplage me suspendeu por tempo indeterminado, mas vai me deixar voltar em algum momento. Ela sugeriu que eu fique afastada por um ano para ter certeza de que é isso mesmo que eu quero antes de voltar. Quanto ao primeiro ano, como perdi a primeira grande apresentação de teatro do período, fiquei com zero.

— Dar um tempo em tudo é uma boa ideia — opino.

— Bom, a gente se vê por aí. — Ela se despede com um aceno rápido.

— Tchau — respondo, sem saber o que mais posso dizer, e ela se afasta.

A sra. Barker põe a mão no ombro de Megan e a acompanha pela escada. Fico pensando em quanta gente ela ainda vai ter que abordar para pedir desculpas, e espero que já tenha falado com Posey.

— Que loucura! — diz Elliot.

— É. Não acredito que a Megan veio até aqui... — falo e deixo as costas caírem contra o encosto da cadeira.

— Não, não é isso... bom, é isso, mas... estou lendo o post no blog da Megan. Quer ver? — Ele vira o celular para mim.

Desculpas

Oi, leitores.

Sei que normalmente uso este lugar para mostrar as coisas que estou adorando, mas hoje tenho alguns assuntos sobre os quais quero escrever.

Fiz uma bobagem muito grande sobre a qual muitos de vocês já devem saber. Só quero dizer que sinto muito por todo sofrimento que causei. Não estava pensando em ninguém, além de mim mesma.

Eu queria aquele papel no espetáculo da escola mais do que tudo na vida, mas eu devia ter trabalhado com mais dedicação e ter sido melhor, em vez de ter prejudicado o sucesso de outra pessoa só para chegar ao topo antes dela. Eu aceitei dinheiro do *Starry Eyes* pelo vazamento da música, mas decidi doar essa quantia para o Hospital Great Ormond Street.

Por enquanto não vou voltar para a Madame Laplage. Preciso de um tempo para pensar melhor no que realmente quero. Uma amiga me deu um grande toque recentemente sobre ficar na minha e cuidar da própria vida. Pela primeira vez, acho que vou ter que seguir o conselho dela. Sou extremamente teimosa na maior parte do tempo e sei que costumo ser um rolo compressor na vida, agarrando tudo o que está ao meu alcance. Estou superenvergonhada por ter sido suspensa da escola dos meus sonhos para perceber isso. Corri o risco de perder bons amigos e a carreira dos meus sonhos por causa de uma atitude egoísta.

Se você está lendo isto e é uma das pessoas que eu ofendi ou magoei, peço desculpas.

Comentários fechados.

43

Elliot assobia baixinho.

— Bom, não dá para dizer que ela não tem coragem — ele diz.

Estranhamente, ler o post do blog de Megan ajudou a aliviar a tensão que tinha se instalado no meu estômago. Minha amizade com Megan nunca mais será a mesma, mas ela nunca foi uma amizade real, de verdade. Pelo menos agora sei em que terreno estou pisando com ela.

E, estranhamente, tudo bem.

Talvez essa coisa toda de crescer não seja tão ruim, afinal.

O telefone de Elliot vibra, e ele franze a testa.

— O que foi? — pergunto.

— É a sua mãe...

— Minha mãe? O que ela quer?

— Não sei. Ela só quer que a gente vá para casa agora, você e eu. Só nós dois, se possível.

— Oi? — Olho para Noah com a testa franzida, do mesmo jeito que Elliot faz com Alex. O que isso pode significar?

— Vocês dois não aprontaram nada, não é?

Noah levanta as mãos.

— Não tenho nada a ver com isso.

Estou preocupada. É raro minha mãe mandar mensagem do nada pedindo para eu ir para casa. Especialmente agora que comecei o último ano, o que vai garantir minha entrada na faculdade, meus pais estão me dando mais liberdade.

— É melhor a gente ir — digo. — Pode ser uma emergência. — Beijo Noah e aviso que falo com ele mais tarde.

— Certo — Elliot concorda, sério, o que é incomum.

— Me liga — Alex pede e o beija no rosto. Seus traços normalmente calmos têm uma sombra de preocupação. Acho que Alex sente o mesmo desconforto que eu.

— É claro — Elliot muda de tom e responde de um jeito leve e suave, como se não tivesse nenhum motivo para se preocupar. Em seguida sorri para mim e pisca, e, não consigo evitar, também me sinto melhor. Elliot levanta da cadeira e me dá o braço. — Vamos, ela provavelmente quer uma opinião *especializada* sobre a decoração do novo casamento. — De braços dados, subimos a escada praticamente saltitando e saímos da loja.

Quando chegamos em casa, Elliot e eu voltamos ao normal, cantamos "We Are Family" e "Ain't No Mountain High Enough" com toda a força dos pulmões, agindo como dois malucos.

Mas a disposição muda assim que entramos na sala de estar, onde meus pais estão sentados na frente de um casal com aquele jeito típico de advogados: os pais de Elliot.

Imediatamente, seguro a mão dele, mas ele não aperta a minha de volta. Elliot começa a recuar em direção à porta, e sinto a mão do meu amigo se afastar, como se ele fosse fugir.

Minha mãe também deve ter percebido, porque fica em pé.

— Por favor, Elliot. Seus pais têm um assunto para conversar com você.

— Eu... vim para cá porque confiei em vocês! — Elliot protesta, arrancando a mão da minha e segurando-a junto ao peito como se a tivesse queimado. Ele está falando com minha mãe, mas comigo também. — Queria ficar longe deles, não conviver com eles aqui também.

— Sabemos disso, Elliot — minha mãe responde.

— Seus pais...

— Meus pais não podem decidir quando querem aparecer e acabar com a minha vida!

— Elliot, não fala assim com a sra. Porter — diz o pai dele.

— E você não fala assim comigo, pai.

— Está vendo? — o pai de Elliot fala para a esposa. — Eu disse que isso era inútil.

— É, eu sou o *inútil*, como sempre. — Elliot vira e sobe a escada correndo.

Fico na sala, com a cabeça a mil. Ainda não acredito que o pai de Elliot fala com ele desse jeito, mas também não posso acreditar que minha mãe armou uma emboscada para ele.

Minha mãe olha para mim, o rosto marcado pela aflição.

— Penny, acha que consegue conversar com ele? É muito importante que ele escute o que os pais têm a dizer. Sei que é difícil.

Assinto, meio atordoada. Subo a escada devagar, tentando pensar no que vou dizer para o meu melhor amigo. Quando me aproximo do quarto de Tom, agora o quarto de Elliot, ele está furioso, jogando suas coisas dentro da mala. Esse tipo de raiva não combina com ele. Seu rosto está vermelho, e dá para ver que ele está tremendo.

Sem dizer uma palavra, eu me aproximo dele e o abraço. No começo ele resiste, tenta se soltar, a raiva o impedindo de relaxar, mas depois sinto que ele cede e apoia a cabeça em meu ombro.

— Vou ter que ir lá falar com eles, não é?

Assinto.

— Mesmo que os seus pais não estejam agindo como adultos, você precisa ser maduro.

— Crescer é uma droga, não é?

Eu me afasto um pouco e limpo uma lágrima de seu rosto.

— É uma grande droga. Mas a minha mãe é uma boa mediadora, ela não vai deixar as coisas complicarem para você. Vai te proteger do seu pai.

Ele assente, infeliz.

— Acho que vou precisar de proteção. Viu como ele está nervoso?

— Eles também estão passando por um período difícil. O que quer que você faça, não deixe que eles te culpem. Você é a vítima disso tudo. Essa briga não é sua.

— Obrigado, Pen-Pen. — Ele se abaixa para olhar no espelho da penteadeira, limpa as lágrimas restantes embaixo dos olhos, depois ergue o corpo e sacode os ombros. — Me deseja sorte.

— Quer que eu desça com você?

Ele balança a cabeça, depois beija meu rosto duas vezes.

— Não, é melhor eu resolver isso sozinho. Mas se eu precisar de alguma coisa, você vai estar aqui, certo?

— Você sabe que sim.

Passo uma hora olhando para o teto do meu quarto, sem conseguir me concentrar no dever de casa, nos comentários do blog, nem no e-mail de Melissa na caixa de entrada. A única coisa que faço é mandar uma mensagem para Noah explicando por que minha mãe pediu para voltarmos, e ele responde com um emoji de carinha preocupada e uma promessa de vir logo, se precisarmos de alguma coisa.

Três batidas rápidas na porta interrompem meus pensamentos, a única coisa que poderia ter rompido meu estranho transe. Levanto da cama e vou abrir a porta.

De olhos vermelhos, mas calmo, Elliot conta:

— Está acontecendo. Meus pais vão se divorciar.

4 de novembro

O Que Você Faz Quando Seu Melhor Amigo Está Sofrendo

Oi, pessoal.

É hora de pedir conselho de novo. Preciso dos conselhos de vocês.

Um amigo está passando por algo muito difícil no momento.

Uma coisa com a qual não sei se posso ajudá-lo.

Mas sei que é um problema com o qual muitos de vocês tiveram que lidar. Então, lá vai:

Como lidar com a separação dos pais?

Sei que eu teria dificuldade com isso. Acho que, no caso do meu amigo, o clima da casa é ruim há tanto tempo porque os pais dele não eram felizes juntos. Então, se vai servir para os pais dele ficarem mais felizes do que estavam, vai ser bom para eles.

Mas meu amigo está arrasado. Quero muito ajudar, mas como? Tem um limite para a quantidade de bolos cremosos de chocolate e playlists animadas que posso providenciar para ver se ele se sente melhor. Mas isso não é mais suficiente. Sei que hoje em dia muitos casais se divorciam, por isso espero que alguns de vocês possam me ajudar compartilhando o que os ajudou quando seus pais estavam se separando.

Vou ficar muito grata pelos conselhos.

Desde já, muito obrigada.

Garota Online, saindo do ar xxx

44

— Jura que esse é um costume inglês *de verdade*, não uma coisa que você inventou? Não é brincadeira? — Noah está na Lanchonete JB comigo, bebendo chocolate quente, e estou tentando explicar para ele os detalhes da Noite da Fogueira.

Dou risada de seu ceticismo.

— Sério, é verdade!

— Como é a música, mesmo?

— "Lembre, lembre, do 5 de novembro" — repito. — "Pólvora, traição e *trama*!"

— E a gente queima alguém na fogueira, mesmo?

— Às vezes queimam um boneco, tipo um espantalho vestido com roupas velhas e recheio de jornal. Mas em Brighton não tem isso. Só temos uma grande fogueira e a queima de fogos.

— Deve ser bem legal. De onde veio isso?

— A aula de história vai ter que esperar até você encontrar o Wiki! — respondo, rindo. — Meu pai disse que este ano vai fazer uma fogueira no jardim. Ele não faz isso há muito tempo, mas, como você está aqui, ele quer que seja especial.

— Seus pais são demais — Noah comenta com um sorriso.

Passo os dedos pela beirada da mesa de metal. Tem muita gente da escola por ali, mas a maioria nem olha para nós. Noah agora é só uma parte da cena de Brighton.

— Sabia que foi aqui que tive meu primeiro grande ataque de pânico? — falo.

Noah levanta uma sobrancelha.

— Sério? — Ele me envolve com um braço como se quisesse me proteger, e sorrio para ele. Mas verifico todos os sinais: pulsação normal, visão nítida e mãos firmes. Não corro o risco de outro ataque agora.

— Sério. A Megan estava comigo. Na verdade, ela foi o gatilho.

— Que bom que ela saiu da sua vida. Acho que ela não foi uma boa influência para você.

— Tem razão. — Franzo a testa. — Eu pensei que os ataques estivessem relacionados a quando eu sentia medo. Foi isso que aconteceu durante o acidente de carro. — Ainda agora, se fecho os olhos, consigo ver aquele momento. Não lembro mais dos detalhes, não consigo lembrar nem para onde íamos, mas o que forma minha memória daquele acontecimento agora são os flashes e sentimentos. Os faróis girando na estrada. Não conseguir respirar quando capotamos. E minhas mãos espalmadas contra a lateral do carro, me impossibilitando de sair. — Mas acho que não é só quando estou com medo. É o sentimento de estar *presa*: naquele carro, em um lugar, em uma... amizade.

— Penny, promete que, se algum dia se sentir mal desse jeito quando eu estiver por perto, você me avisa?

— Sim. Mas é estranho... Quando estamos juntos, você é como uma rota de fuga para mim. Olho nos seus olhos e... — Fico vermelha, me sentindo uma boba.

Os dedos de Noah tocam meu queixo e me fazem encará-lo.

— Eu sinto a mesma coisa. — Ele ri. — Quando ouvir minha música nova, vai entender o que estou dizendo.

— E quando isso vai acontecer, sr. Misterioso?

— Logo, logo! E nem vem com sr. Misterioso, porque você também não me conta em que está trabalhando!

— Tudo tem sua hora.

Percebo uma movimentação na porta da lanchonete e escuto alguém falar meu nome. Viro e vejo Alex. Ele está despenteado, pálido e aflito. Deve ter acontecido alguma coisa.

— Alex? Tudo bem?

Seus olhos se arregalam de alívio quando ele me vê.

— Ai, graças a Deus você está aí!

Recebi uma mensagem de Alex há uma hora, mais ou menos. Ele queria saber onde Noah e eu íamos nos encontrar depois da aula. Imaginei que ele e Elliot queriam nos encontrar de novo. Mas Elliot não está com ele.

Alex corre para perto da mesa.

— Por acaso você viu o Elliot?

— Não, pensei que ele estivesse com você.

— Ele não mandou nenhuma mensagem? Nem telefonou?

Balanço a cabeça.

— Ah, não. Eu tinha esperança... — Ele anda de um lado para o outro perto da mesa, agitado demais para sentar.

Noah estende a mão para fazê-lo parar.

— Alex, cara, o que foi? — ele pergunta.

— Nada demais, é que tivemos uma briga séria ontem à noite, depois de tudo que aconteceu com os pais dele...

Ah, não. Elliot não estava emocionalmente bem na noite passada, e a última coisa de que precisava era brigar com o namorado.

— O que você falou? — pergunto.

— A culpa é toda minha! Às vezes eu sou muito frio. Eu falei para ele que divórcio é uma coisa comum e que não é o fim do mundo. Mas foi a coisa errada a dizer. Era muito cedo para o Elliot ouvir isso, e eu devia saber. Ele me expulsou da sua casa, e eu fui embora. Mas nós nunca ficamos brigados por mais do que duas horas. Depois do choque e de tudo, achei que seria melhor deixar ele dormir, porque... ah, tudo fica melhor no dia seguinte, não é? Ele ia ficar bem de novo. Mas, Penny, ele não respondeu às minhas mensagens e, pelo que alguns amigos dele na escola disseram, ele não foi à aula hoje!

Elliot também não respondeu às minhas mensagens nem me enviou comentários aleatórios como costuma me mandar todos os dias, mas não achei estranho, porque sabia que ele estava passando por um momento difícil.

— Já foi ver se ele não está no quarto lá em casa?

Alex faz uma careta e baixa a cabeça. Os ombros caem.

— É claro que sim. Ele não está lá, mas ninguém o viu sair hoje de manhã. A cama está arrumada e a bolsa dele sumiu.

Sinto o sangue gelar nas veias.

— Está falando sério?

— Queria não estar, mas sim. — Uma lágrima transborda de seu olho, e sei que ele deve estar enlouquecendo de preocupação. — Os pais dele também não sabem onde ele está. Como se algum dia tivessem notado ou se preocupado.

— Acho que ele não iria longe sem avisar a gente — digo, tentando emprestar à voz uma confiança maior do que sinto. — Ele deve estar em um dos lugares que costuma ir. Vamos. O Noah e eu vamos ajudar a procurar.

— Obrigado. Vou ter que passar no apartamento para pegar um agasalho e o carregador do celular. Não quero ficar sem bateria, caso ele tente entrar em contato. Você me manda uma mensagem, se souber de alguma coisa?

— É claro. — Já estou colocando o cachecol no pescoço.

Noah pega o casaco.

— Você acha que o Elliot fugiu? — ele pergunta.

Mordo o lábio.

— Talvez — respondo.

Elliot *sempre* foge, seja das brigas com os pais ou de um dia ruim na escola. Quando ele e Alex terminaram, ele fugiu para Paris para ir me procurar. Isso é o que ele faz. Eu devia ter percebido que, depois da má notícia que teve ontem à noite, isso poderia acontecer. Mas ele nunca fugiu de *mim*. Nunca foi a lugar nenhum sem me avisar ou sem me convidar para ir também.

Desta vez tem alguma coisa diferente.

Mais permanente.

— Nós vamos encontrá-lo — Noah afirma, cheio de confiança. — Ele não faria nada sem falar com você.

— Eu também pensava assim. Mas já passou quase um dia inteiro... — Olho para o celular como se não soubesse por que não houve mensagens de Elliot. Tento mais uma vez.

Ei, cadê você? P xxxx

Já está escuro quando saímos. A noite cai cedo, agora que novembro chegou. Está muito frio, mas estamos bem agasalhados, e puxo o cachecol branco e dourado até sentir a lã fazendo cócegas nos meus olhos. Mal consigo sentir os dedos dentro das luvas de lã.

— Por onde vamos começar? — Noah pergunta.

As luzes brilhantes do píer chamam minha atenção. Penso em todas as vezes em que Elliot e eu precisávamos nos acalmar depois de algum problema e fomos para lá jogar no fliperama, encontrando calma no barulho e na confusão dos jogos de parque de diversão.

— Pelo píer — decido e corro para lá. Felizmente, não é longe. Ainda tem muita gente pelas ruas depois de um dia de trabalho por causa da queima de fogos. Passamos por grupos que tomam bebidas quentes e comem churros mergulhados em chocolate. Posso ouvir o barulho da montanha-russa e ver suas luzes piscando, a volta que dá a impressão de que todos os passageiros vão cair no mar.

Quando chegamos ao primeiro fliperama, aponto para a esquerda.

— Você vai por ali, eu continuo por aqui. E, depois daquela banca, continue em linha reta até chegar ao fim. Te encontro nos carrinhos bate-bate.

— Combinado — Noah responde, arrancando a touca da cabeça.

Agora que estamos em uma área coberta e cercados de gente, sinto o lugar abafado. Estou suando depois da corrida no frio, e meu coração bate loucamente dentro do peito, mas preciso manter o foco.

Elliot, onde você está?

Cada vez que passo por uma de nossas máquinas preferidas, eu prendo a respiração. Mas não vejo nem sinal de Elliot. Meu coração dá um pulo quando vejo alguém com o chapéu de pontas característico de Elliot e o cachecol listrado, mas não é ele.

Elliot Wentworth não está no píer.

— Alguma novidade? — pergunto a Noah quando o encontro ao lado da pista dos carrinhos bate-bate.

Ele balança a cabeça.

— Não, nenhuma.

Pego o celular e mando notícias para Alex.

Nada no píer. Vou olhar alguns lugares na Lanes, depois a gente se encontra na minha casa. P x

Minha casa é o último lugar onde Elliot foi visto, e, se eu não voltar a tempo para os marshmallows do meu pai antes da Noite da Fogueira, meus pais vão começar a ficar preocupados comigo também. De qualquer maneira, em casa vou poder conversar com eles dois e pensar em organizar uma equipe de busca de verdade.

Além do mais, tem um comentário de Elliot martelando no fundo da minha cabeça. O Cartão Grande Fuga. Se ele levou o cartão, então vou saber que tenho que me preocupar de verdade.

Conto para Noah a conversa que tive com Elliot há algumas semanas, e ele assente, sério.

— Parece que ele se preparou para isso — diz.

Lágrimas inundam meus olhos inesperadamente, e Noah me abraça com força.

— Ele não faria isso sem me avisar! — Soluço. — A gente combinou. Sempre contamos *tudo* um para o outro!

— Ele tem quase dezessete anos... Vai ficar bem.

— Não interessa. Não quero saber quantos anos ele tem, ele precisa dos amigos. Não pode jogar fora uma vida inteira...

Mas foi exatamente isso que Noah fez, pelo menos por um tempo. Não consigo pensar nisso.

Andamos pela Lanes olhando todos os nossos lugares favoritos: a creperia, o bar na Waterstones, a Choccywoccydoodah. Eu também o procuraria na biblioteca, se pudesse, mas ela está fechada a esta hora da noite. As ruas estão ficando cheias de gente a caminho da grande fogueira pública e do local da queima de fogos.

— Vem — diz Noah —, acho que está na hora de voltar para a sua casa. Quem sabe? Talvez ele já tenha voltado e esteja lá esperando a gente.

— Talvez — respondo, mas minha voz trêmula trai o que realmente penso. *Não, Penny. Não desista até ter certeza.*

Pegamos um táxi para casa, porque é a solução mais rápida e estamos com muito frio para esperar o ônibus. Em poucos minutos estamos lá. Quando entro, vejo o rosto de minha mãe abatido e marcado pela preocupação.

— Alguma notícia dele? — ela me pergunta assim que passo pela porta.

Balanço a cabeça, mas deixo Noah responder. Não posso mais esperar. Subo a escada correndo para ir ao quarto de Elliot. Alex estava certo: o quarto parece vazio e a cama está arrumada. A única coisa que me dá alguma esperança é que o livro que Elliot está lendo continua virado para baixo em cima do criado-mudo, o marcador ainda indicando a página. Ele o teria levado se tivesse ido embora de vez, tenho certeza. Elliot não suporta deixar nada inacabado, isso o deixaria maluco.

Olho dentro do guarda-roupa e apalpo as jaquetas e os jeans recém-passados até encontrar o que procuro. Uma caixinha preta com uma fechadura de senha. Sei qual é a senha, a mesma que nós dois usamos, uma mistura do aniversário dele e do meu. Abro a caixa rapidamente.

Levanto a tampa.

Vazia. O Cartão Grande Fuga de Elliot sumiu.

A caixa escapa das minhas mãos e cai no chão.

Elliot foi embora.

45

— Penny, tudo bem? — Noah sobe a escada correndo. No quarto de Elliot, caí de joelhos sem perceber, e é assim que Noah me encontra.

— Ele levou o Cartão Grande Fuga — falo, entre soluços. — Isso quer dizer que ele foi embora *mesmo*. Não consigo acreditar...

— Vem — Noah me faz levantar. — O Alex vai chegar a qualquer minuto, e você precisa contar para os seus pais o que está acontecendo.

Quando chego lá embaixo, minha mãe está abraçando Alex, enquanto a sra. Wentworth, mãe de Elliot, anda pela sala, desesperada. Meus olhos devem lhe perguntar o que tenho medo de falar em voz alta, porque de repente ela cobre o rosto com as mãos e diz:

— Eu não sei para onde ele foi... Eu não queria que isso acontecesse.

— Cadê o pai do Elliot? — pergunto.

— Também foi embora! — Ela ri com amargura. — Mas *isso não é* surpresa. Ele foi morar com a secretária. Eles estavam juntos durante todo esse tempo!

— Sinto muito — digo baixinho.

— Eu pensei que eu e o Elliot poderíamos recomeçar. Agora parece bobo, mas eu tinha saído para comprar bolo de chocolate para ele, o bolo que ele amava quando era pequeno. — E aponta para uma caixa amassada em cima da mesa da sala de jantar. — Um pedido de paz. Mas ele não é mais criança. Quando voltei para casa, encontrei isto.

Ela me entrega um bilhete escrito em um pedaço de papel arrancado de um caderno.

Ontem à noite você deixou claro que não sou mais bem-vindo aqui. Estou indo embora. Adeus. Elliot

Meu coração fica apertado.

— Onde encontrou isto? — pergunto.

— Na mesinha do hall — a sra. Wentworth responde tristemente, com o rosto marcado de preocupação. — Perdi a minha família inteira em uma única noite.

— Se você não o tivesse afastado! — Alex explode, dando um soco furioso no encosto do sofá. — Se tivesse pensado por um segundo que fosse no choque que tudo isso causou nele! — Minha mãe afaga seu braço e o acalma.

Vou até a sala de jantar e abro a caixa com o bolo. É como ter uma experiência fora do corpo. Minha mente fica entorpecida. Meu corpo age por conta própria. *Agora não é hora de ter hipoglicemia, Penny,* digo a mim mesma. A estampa na caixa é de uma lagarta de desenho animado.

Alguma coisa cintila em meu coração e um nó se forma em minha garganta. Ainda tem um lugar onde não fomos procurar.

Onde ninguém além de mim pensaria em ir.

— Sra. Wentworth, a porta da sua casa está aberta?

— Não, mas eu te dou a chave.

— Acabei de pensar em um lugar para onde o Elliot pode ter ido, mas preciso pegar uma coisa no quarto dele.

Ela assente e me dá a chave. Noah afaga minha mão para me dar confiança, e sinto o olhar curioso de Alex cravado em minhas costas. Tento não parecer muito esperançosa, caso isso não dê em nada.

Assim que entro na casa de Elliot, subo a escada até o quarto no sótão. O que fica ao lado do meu. Se pudesse enxergar através da parede do lado esquerdo, eu veria meu quarto.

O lugar parece ter sido revirado — pela mãe de Elliot e por Alex. Mas eles não sabem tudo sobre este quarto, não como eu sei. Sei que atrás do espelho tem uma porta escondida por onde é possível chegar ao forro da casa, assim como no meu quarto. É nesse espaço que Elliot e eu escondíamos nossas coisas mais preciosas, não as coisas caras, mas as coisas bobas, as que só eram importantes para nós quando éramos mais novos. Nossas lembranças, coisas que devíamos ter superado com o passar do tempo, que prometemos jogar fora, mas nunca jogamos. Eu guardava meus velhos diários e uma quantidade enorme de fotos, reveladas de antigas câmeras descartáveis. Elliot guardava todos os seus livros mais valiosos, além de coisas que, ele tinha *certeza*, um dia voltariam à moda. Ele também havia pendurado lá seu desenho de um pêssego gigante (*James e o pêssego gigante* era seu livro favorito na infância), com uma estrela dourada da mãe dele grudada no papel. O jeito de ela elogiar um trabalho, de mostrar que o amava.

Caminho para o lado direito do quarto e me abaixo junto do revestimento. Levo um momento para encontrar a maçaneta, mas finalmente consigo alcançá-la. A porta é pequena, mas ainda é larga o suficiente para eu poder passar, e enfio a cabeça na abertura e rastejo para dentro do espaço.

Vejo Elliot encolhido no canto, o cabelo loiro-escuro despenteado e sujo de teias de aranha. Ele está enrolado em um velho cobertor e olha para um álbum de recortes que eu nunca tinha visto antes.

— Oi — falo baixinho, sem saber o que mais posso dizer.

— Oi. — Ele olha para mim, e vejo seus olhos vermelhos atrás dos óculos de armação de tartaruga. — Como me encontrou?

— Eu te conheço, palhaço.

Ele sorri, mas o sorriso não alcança seus olhos.

— Eu ia fugir.

— Eu sei.

Ele levanta uma ponta do cobertor e me convida a entrar. Eu me encolho ao lado dele e seguro suas mãos.

— É sério — Elliot insiste. — Eu ia embora para sempre. Eu entrei aqui ontem à noite só para pegar algumas coisas, como o meu livro. —

Ele mostra uma cópia de seu tesouro Roald Dahl, ainda com a capa de plástico transparente que o protege. — Mas encontrei isto aqui. Tinha esquecido completamente que fiz este álbum. — Ele me mostra o lado interno da capa, e eu leio:

Minha família, por Elliot Wentworth, ~~8~~ anos, ~~9~~, ~~9 3/4~~, 10

Dou risada da precisão factual presente em Elliot, ainda criança, mesmo quando o assunto era sua idade.

— Acho que isso começou como um trabalho escolar, mas continuei fazendo durante um tempo. — Ele vira as páginas. Começava com uma árvore genealógica com pequenas fotos (meticulosamente recortadas) dos avós, dos pais e dele mesmo, depois se transformava em uma arca do tesouro de lembranças: uma folha comprimida trazida da primeira viagem que eles fizeram à Escócia, vários panfletos de museus, canhotos de ingressos de cinema e, melhor de tudo, fotos de Elliot e os pais juntos. Felizes. — Olha, tem você! — Elliot aponta para uma foto no canto. Sim, tem uma foto de uma Penny gorduchinha com seis anos de idade com um avental sem mangas claro e manchado, um braço em volta do pescoço de um magrelo Elliot de sete anos. A pequena Penny usava os óculos de Elliot, e Elliot usava um dos boás de plumas da minha mãe enrolado no pescoço. Parecíamos dois malucos. Parecíamos melhores amigos.

— Olha o meu cabelo! — gemo, olhando incrédula para o corte tigelinha.

— Acho *très chic*, querida — diz Elliot.

— Mentiroso. — Dou uma cotovelada nas costelas dele.

Elliot olha para mim e suspira. Afaga, distraído, a capa do álbum enquanto fala.

— Desta vez eu pensei que ia embora de verdade. Já tenho idade suficiente para isso, ou quase. Podia ter ido. Não queria ter que me apoiar em ninguém. Não queria amar ninguém. Amor só traz sofrimento, sabia?

Afago a mão dele.

— Mas aí eu entrei aqui e vi todas as coisinhas que colecionei desde que era criança. Tudo bem, minha família nunca foi perfeita... tipo, olha como o meu pai me trata agora! Mas *tinha* amor na nossa casa. Eu tive a sorte de ter isso, mesmo que agora não tenha mais. Só porque um dia acaba, não significa que foi menos especial enquanto durou, não é?

— Sim — sussurro.

— É isso que a gente sente quando cresce? — ele pergunta com uma risadinha.

— Se está falando de partes iguais de tristeza e felicidade, medo e coragem, acho que sim.

— E como a gente sabe se está preparado para crescer?

— Não sei se algum dia vamos saber. Acho que nem nossos pais sabem se estão preparados.

— Ah! Os seus pais talvez saibam, mas os meus... Eles são tão agarrados às próprias certezas que parecem estátuas.

— Será que isso é verdade? Pensa nas mudanças que eles estão enfrentando. Eles também estão crescendo.

Elliot suspira.

— As coisas agora estão realmente mudando, não é, Penny? — Ele descansa a cabeça em meu ombro.

— Sim, estão.

— Mas nós nunca vamos deixar que a nossa amizade acabe, não é?

Seguro a mão dele e a aperto com força.

— Nunca — declaro com firmeza.

Sei que não podemos ficar aqui para sempre, e, depois de alguns instantes, falo suavemente:

— Elliot, você quase matou a gente de susto. Por que não respondeu às nossas mensagens? O Alex está quase maluco!

Elliot torce o cobertor.

— Quando entrei aqui, eu estava usando o celular como lanterna, e acho que peguei no sono. A bateria acabou, só isso. Desculpa por ter deixado todo mundo preocupado, mas eu precisava de um tempo.

— Tudo bem. Pronto para voltar ao mundo real?

— Eu preciso mesmo? — Ele olha para mim com ar suplicante.

Respondo que sim com a cabeça.

— Você não pode passar o resto da vida aqui. Por acaso este lugar é a casa maravilhosa com que você sempre sonhou? Não sei se isso combina com você...

— Tem razão. Isto aqui não é muito chique. — Ele devolve o álbum ao lugar onde o encontrou, depois arruma o cobertor sobre a bolsa cheia de coisas.

Saio do espaço minúsculo, depois ajudo Elliot a sair também. Limpo as teias de aranha do cabelo dele e a poeira dos ombros.

— Pen? — Ele segura minha mão.

— Oi?

— Que bom que me achou.

— Wiki, eu nunca teria desistido de te procurar, nunca.

— Eu sei.

— Você é o meu melhor amigo. Não, você é mais que isso. Você é a minha vida. Eu não teria conseguido continuar sem você. Portanto, está proibido de me abandonar desse jeito de novo, entendeu?

— Entendi. Nunca mais vou te abandonar. Prometo.

46

Quando voltamos à minha casa, não tem gritaria nem berros, só alívio. Alex corre para os braços de Elliot e o cobre de beijos. Quando finalmente lembram que estão em uma sala cheia de gente, eles se afastam, acanhados, mas Alex continua segurando a mão de Elliot, que olha para a mãe com um sorriso triste.

— Desculpa pelo bilhete — diz.

— Eu é que peço desculpas por tudo — ela responde. — Será que a gente pode começar tudo de novo? Só nós dois?

Elliot assente.

— Só se eu puder ter o meu quarto de volta, posso?

O rosto dela se ilumina como uma árvore de Natal.

— Sério? Quer voltar para casa?

— Se eu puder...

— É claro!

Os dois se abraçam do jeito mais desconfortável e estranho que já vi, mas é um começo.

A expressão no rosto da minha mãe é do mais puro alívio.

— Onde ele estava, Penny?

Fico vermelha.

— Foi o bolo da lagarta que me fez lembrar daquele espacinho lá no quarto, no meu e no dele. É onde o Elliot guarda todas as lembranças da infância. Era nosso esconderijo favorito quando éramos crianças.

— Eu lembro — diz minha mãe. — Uma vez passei um dia inteiro te procurando. Tinha me esquecido desse cantinho. — Os olhos dela se iluminam. — Talvez eu possa usá-lo para guardar algumas roupas da loja!

— Mãe!

— E aí, quem quer marshmallows? — Meu pai sai da cozinha com um timing impecável.

— Não é muito tarde para a Noite da Fogueira? — Noah pergunta.

— Nunca é tarde para a Noite da Fogueira na casa dos Porter!

— Em frente, então! — Noah ajeita um quepe imaginário.

— Caramba, esse sotaque britânico é *péssimo* — Elliot comenta, rindo.

— O quê? — Noah faz uma cara desanimada. — Mas eu fiquei vendo *My Fair Lady* várias vezes seguidas! — Ele ri.

— Mas está longe de ser a Eliza Doolittle — retruca minha mãe.

Também dou risada, depois vou pegar um punhado de fogos no armário embaixo da escada. Saímos para o jardim, onde meu pai preparara uma fogueira dentro de um grande buraco cercado de pedras. Não é uma fogueira perfeita, mas, como não vamos à cidade, vai servir para tostarmos marshmallows.

Meu pai ajuda a acender nossas estrelinhas, e Elliot, Alex e eu dançamos por ali, escrevendo nosso nome com luzes. Depois de muito brincar, corro para dentro de casa, pego minha câmera e tiro várias fotos de Alex, que fica parado enquanto Elliot corre por ali com uma vareta cintilando. O efeito é que Alex parece cercado por faixas de luzes douradas, muito brilhantes. É muito legal.

Noah ajuda meu pai a acender o fogo, colocando gravetos e papel dentro da cavidade para alimentar as chamas e espalhá-las pelos pedaços de madeira maiores. O fogo cresce rapidamente e nos envolve com seu brilho vermelho-alaranjado.

Meu pai joga pacotinhos de papel-alumínio no fogo, e, após alguns minutos, temos marshmallows deliciosamente derretidos, envoltos em migalhas de biscoito e raspas de chocolate. Uma delícia.

— Bom, não é o que teríamos em casa — diz Noah. Esperamos, ansiosos, pelo julgamento. — Mas é *muito* bom!

Meu pai parece ter ganhado o *Bake Off Grã-Bretanha* e Noah é o novo Paul Hollywood.

— Acho que esse foi o maior elogio que eu já ouvi! — ele diz com um largo sorriso.

— Posso ajudar, Rob? — pergunta Alex.

— É claro, vem! — responde meu pai.

Alex e meu pai se afastam para o fundo do jardim, onde começam a preparar a queima de fogos. A mãe de Elliot chega com uma bandeja de vinho e chocolate quentes, e minha mãe vem logo atrás com os cobertores. Nós nos acomodamos nas cadeiras do jardim, reunidos em torno do fogo.

— Noah, pode tocar alguma coisa para nós? — minha mãe pergunta.

— Para você, Dahlia, é claro! — Ele levanta e corre para dentro de casa. Quando volta, traz o violão.

Noah se prepara, desliza os dedos pelas cordas do braço do instrumento. Depois toca duas notas e, satisfeito com a afinação, pendura a correia no pescoço.

Então se aproxima, e Elliot e eu abrimos espaço para ele se posicionar entre nós.

Seus dedos manipulam as cordas, e fico admirada ao ver como alguém pode ser tão bom tocando um instrumento. A pedido de Elliot, ele toca primeiro alguns sucessos antigos, como "Garota de Outono" e "Elements", e minha mãe pede "Garota dos Olhos Castanhos", que ele toca à perfeição.

Quando Noah faz uma pausa entre as canções, meu pai grita do fundo do jardim:

— Acho que estamos prontos. *Três...*

Eu me inclino para Noah.

— Foi lindo — sussurro. — Tinha esquecido como sinto falta de ouvir você tocar.

— *Dois...*

— E eu tinha esquecido como adoro tocar para você.

Noah e eu nos beijamos, e os fogos riscam o céu.

* * *

Depois da queima de fogos, a mãe de Elliot volta para a casa dela, e meus pais se despedem. Todos estão exaustos. Ficamos só nós: Noah, eu, Elliot e Alex.

— Também estamos megacansados — Elliot comenta.

— Foi um dia longo e cheio de emoções para todos nós. — Levanto e dou um grande abraço em Elliot.

— Eu te amo — digo.

— Eu também te amo, Pennylícia.

— Obrigado por toda ajuda hoje, Penny, Noah — diz Alex. — Não sei o que teria feito sem vocês.

Sorrio.

— Cuida do Elliot, tá? Ele é muito especial.

— Vou cuidar com todo o meu coração — Alex responde enquanto sorri para Elliot, e eu realmente acredito nele.

Quando fico sozinha com Noah, sob o céu estrelado, só quero me aninhar em seus braços. Mas, para minha surpresa, ele se mantém distante. Ao ver que pareço triste, ele sorri.

— Tem mais uma coisa que eu quero tocar para você — diz.

— Ah, é? — Eu me inclino para a frente e me ajeito embaixo do cobertor, curiosa.

— É uma das músicas novas que eu escrevi. — Ele puxa um fio solto no cobertor, deslizando a outra mão pelo violão.

— Noah, você está nervoso! — constato, rindo.

— Estou — ele admite, com os olhos brilhando. — Eu sempre fico quando alguém vai ouvir um trabalho novo. Mas estou nervoso porque espero que goste dele. O nome da música é "Minha para Sempre".

Ele respira fundo, e depois sua voz doce e cheia de emoção domina o ar da noite.

Você tem sua vida, eu tenho a minha
Muitos motivos para negar
Todos esses sentimentos ocupando minha cabeça
Mas como eu... sempre... disse...

Talvez a gente não seja bom um para o outro
Mas eu sei que seríamos ótimos juntos

Não posso ficar para sempre assim
Não posso passar nem mais um dia
Longe de você
Separado de você
Minha para sempre

Estações vêm, estações vão
De dias ensolarados a neve branca
Tantas coisas que amo o ano todo
Mas como eu... sempre... disse...
A coisa de que mais sinto falta no mundo
É estar apaixonado por minha Garota Outono

Garota, você e eu podemos ser complicados
Mas, quer saber, o valor que dão à distância é exagerado

Não posso ficar para sempre assim
Não posso passar nem mais um dia
Longe de você
Separado de você

Longe de você
Eu quero você
Minha para sempre

Quando a última nota morre, eu me sinto derreter completamente.

— Noah, isso é... — Busco palavras para expressar o que acho da música, o que estou sentindo, mas elas me faltam.

— É o que eu sinto, Penny — ele diz. Seus olhos mergulham nos meus, e ele me puxa da cadeira para o seu colo. — Só não sei se a eternidade vai ser tempo suficiente.

Um mês depois

7 de dezembro

Garota Online Sai pelo Mundo

Oi, pessoal!

Este post demorou muito para sair, mas é porque eu me sentia muito nervosa com a publicação. Vocês têm sido minha comunidade, meu coração e minha alma online nos últimos dois anos, e eu queria fazer alguma coisa para agradecer. Mas, acima de tudo, percebi recentemente que quero conhecer vocês. Quero pegar essa pequena comunidade que se formou na internet e descobrir se ela vai funcionar no mundo real.

Tenho me dedicado a um projeto secreto sobre o qual não falei com ninguém — nem com o Garoto Brooklyn ou com meu melhor amigo, Wiki — e quero que vocês, os leitores do *Garota Online*, participem disso. Não precisam morar perto de Brighton ou na Inglaterra para participar.

É só me mandarem fotos de seu espaço online — seu santuário. Quero saber onde estão enquanto leem o blog. Talvez seja seu computador em cima da cama ou o celular enquanto estão na rua. As fotos podem ser completamente anônimas (não precisam nem aparecer nelas!) e com qualquer qualidade.

Prometo contar o que estou fazendo assim que eu puder.

Todo meu amor como sempre,

Garota Online, saindo do ar xxx

— Penny? — A voz de Noah vem da sala de estar da minha casa. Eu atravesso a cozinha para ir até lá.

— Oi?

— Acabei de ler o seu blog. Que projeto é esse?

— Vai ter que esperar para ver como todo mundo. Vai mandar uma foto?

— Como assim?

— Quero fotos dos meus leitores, do lugar onde eles leem o *Garota Online.*

Noah senta no sofá com o celular na mão.

— Você é a melhor fotógrafa. Por que não tira uma foto minha?

— Tudo bem, espera.

Corro até o hall, onde a câmera está dentro da minha bolsa, como sempre, e volto à sala com ela nas mãos. Desse ângulo, quase não dá para ver o rosto de Noah, mas consigo ver a luz do celular refletida em seu cabelo. Tiro a foto. Quando olho para a tela da câmera, sorrio. É perfeita.

47

— O que é isso? — Noah pergunta. — Para onde a gente está indo?

— Você vai ver. Confie em mim.

Saímos da escada rolante na Waterloo e vemos a estação já decorada para o Natal. Embaixo do velho relógio vitoriano tem uma árvore gigante coberta de enormes bolas vermelhas e douradas, e, em volta dela, um coral canta "Ding Dong Merrily on High!" para as pessoas.

Esta é uma das épocas do ano de que mais gosto na capital. Londres parece ganhar vida no Natal, com consumidores, turistas e londrinos enchendo as ruas. Penso no último Natal, que passei em Nova York. Não acredito que faz um ano que Noah e eu nos conhecemos. Parece que nos conhecemos desde sempre e, ao mesmo tempo, que acabamos de nos conhecer. Ainda temos muito que aprender, e eu mal posso esperar para conhecer cada pequeno detalhe.

Na estação, andamos por entre a multidão, a caminho da passagem subterrânea que conduz ao Southbank Centre. Um mercado de inverno em estilo alemão ocupa as margens do rio Tâmisa. Luzes de Natal cobrem nossa cabeça, e à nossa volta quiosques de madeira vendem *Glühwein*, pães doces em forma de estrela e enfeites esculpidos.

— Lá estão eles — aviso. Meus pais, Tom e Melanie, Bella e Sadie Lee, Elliot e Alex, Posey, a srta. Mills, Kira e Amara, todas as minhas pessoas favoritas reunidas em um só lugar. Todas muito bem-vestidas para a ocasão. Quando nos veem, elas se reúnem à nossa volta, cheias de expectativa. Todas têm a mesma pergunta estampada no rosto.

Respiro fundo.

— Sei que todos querem saber por que eu pedi para se reunirem aqui. Bom, a verdade é que eu estava trabalhando em uma série de fotos. O nome é *Garotas e (Garotos) Online*. François-Pierre Nouveau gostou tanto dela, que organizou minha primeira exposição em uma galeria aqui na margem sul!

Minha mãe grita de alegria, e seu entusiasmo é contagiante. Logo todo mundo está me abraçando e me cobrindo de beijos. Eu me sinto a garota mais feliz do planeta. Guardar esse segredo por tanto tempo estava me matando, mas sei que valeu a pena só para ver a reação de alegria de todos agora.

Mas é mais do que isso. Esse vai ser o primeiro encontro do *Garota Online* na vida real. Finalmente vou juntar rostos aos nomes que têm me acompanhado por tanto tempo. Nomes como Garota Pégaso, por exemplo.

Minhas bochechas formigam, em um misto de frio e empolgação. Ao ar livre, a temperatura é congelante.

— Podemos entrar e ver? — Elliot pergunta, batendo os pés com impaciência.

— É claro! Vamos lá, pessoal.

Todos começam a andar, mas seguro a mão de Noah e o faço esperar até ficarmos só nós dois.

— Estou superorgulhoso de você — ele diz.

Afago a mão dele.

— Eu demorei muito, mas finalmente encontrei uma coisa que é *unicamente Penny*. E quero dividir isso com você.

— E eu quero dividir todos esses momentos com você — Noah cochicha com a cabeça muito perto da minha, tão perto que sua respiração faz cócegas em minha boca.

— Vamos nessa, então — falo. — Um dia de cada vez.

Entramos no enorme Southbank Centre, que está abarrotado de gente andando pelo saguão, esperando o começo de um show ou saboreando uma bebida no bar.

Em um canto, uma área está isolada por uma faixa de veludo, e um pequeno grupo já está lá dentro: vejo Melissa imediatamente em um elegante vestido preto. Com os brincos brilhantes e as tranças longas presas num coque complicado no topo da cabeça, ela é a imagem da glamorosa dona de galeria.

— Bem-vinda à nossa primeira exposição, Penny Porter! — Melissa diz ao se aproximar para me beijar duas vezes no rosto.

— Obrigada, Mel! Esse é o Noah — apresento, apontando para ele atrás de mim.

Os olhos de Melissa brilham.

— É, eu imaginei. Oi. Tem uma grande foto sua lá dentro. Uma inclusão tardia à coleção.

— Estou ansioso para ver.

Apresento minha mãe a Melissa, depois dou uma olhada em volta. Minha exposição! Em uma pequena área de um espaço enorme e icônico. Bem no centro da exposição, ampliada e isolada, está a foto que inspirou a coleção. O autorretrato que fiz naquele dia com Leah, quando eu trabalhava em um post do blog. Meu rosto está concentrado, e o laptop parece projetar uma sombra, mas de luz. Como a luz que espero projetar no mundo com o *Garota Online*.

Essa é a mensagem da coleção. À minha volta há fotos de adolescentes, gente como eu, que leva a vida online e no mundo real. E, apesar de algumas pessoas lamentarem a juventude perdida ou especularem por que não estamos lá fora respirando ar fresco, espero que minhas fotos ofereçam uma perspectiva diferente.

Lá está o garoto no FaceTime, conversando com os avós na Índia.

Tem o grupo de meninas tirando uma selfie para postar no Snapchat, compartilhando o momento com todos os amigos.

Tem o grupo de estudantes franceses na Galeria Nacional, jovens que parecem estar concentrados no celular, mas que na verdade estão aprendendo muito sobre os quadros diante deles.

Tem Noah lendo meu blog pelo celular.

Mas não é só a foto dele. Essa foto foi ampliada em uma colagem de outras, as fotos que os leitores do meu blog enviaram. Devo ter recebido mais de quinhentas imagens, e todas elas estão na parede. Essa é minha tribo. Meu #TeamInternet.

— Penny, isso é muito legal — a srta. Mills elogia ao se aproximar de mim. — Mas não espere ter nota máxima automaticamente. Você ainda tem que se esforçar por elas — a professora me avisa com uma piscada.

— Não se preocupe, eu sei — respondo com um sorriso. — Além disso, tem mais uma coisa que quero fazer agora.

— Ah, é? O quê?

— Acho que posso ajudar pessoas como eu. Gente que sofre de ansiedade.

O rosto da srta. Mills relaxa quando ela sorri.

— Acho que você seria ótima nisso, Penny. Assim que voltarmos à escola, podemos desenvolver essa ideia.

Logo em seguida, alguém se aproxima, aplaudindo ruidosamente.

— Pénélope, *ma chérie!*

Só tem uma pessoa no mundo que me chama de Pénélope. François-Pierre Nouveau, o fotógrafo mundialmente famoso que fez acontecer essa exposição, com muita ajuda de Melissa, é claro.

— Não falei que eu organizaria sua primeira exposição solo? Mas só se encontrasse seu verdadeiro estilo. — Os olhos dele brilham ao analisar as fotos. — E você conseguiu. Uma voz da sua geração! Uma coisa muito... *unicamente sua*.

— Obrigada, sr. Nouveau — respondo, radiante.

— Não devia agradecer a mim. Agradeça à sua inspiração! Algumas dessas pessoas estão aqui hoje, não?

— Só uma — digo. Ela é a pessoa que mais quero conhecer.

— Bem, vá em frente! E parabéns. Espero você no meu estúdio no próximo verão. — Ele se afasta, animado, procurando pessoas que possam querer comprar minhas fotos. É estranho pensar na minha arte enfeitando a parede da casa de outras pessoas.

Vejo uma garota olhando para uma das fotografias, com um cachecol vermelho e branco enrolado no pescoço, dando a ela a aparência de um doce. Ela usa um sobretudo azul-marinho sobre um vestido de muitas camadas de saiotes em cores néon e uma meia-calça preta salpicada de estrelinhas douradas. O calçado é uma Doc Martens clássica. Ela parece incrivelmente descolada, mas posso ver a timidez no jeito como encolhe os ombros, em como a franja cai sobre o rosto como uma cortina. Ela vira, e eu consigo ver seu colar: um pingente de acrílico na forma de um cavalo branco alado. *Garota Pégaso.*

Ela olha para mim no mesmo instante em que olho para ela. Essa garota tem sido minha confidente online desde os primeiros dias do meu blog, e sinto que ela me conhece tão bem quanto todo mundo, inclusive Elliot.

Eu me aproximo dela sentindo como se meus pés nem tocassem o chão.

— Oi — digo, e a palavra parece pouco.

— Oi.

Em um movimento rápido, nós nos abraçamos como irmãs que não se veem há muito tempo — amigas que finalmente se encontram.

Garota Online finalmente existe fora do ar, e é tão incrível quanto eu imaginava.

31 de dezembro

Véspera de Ano Novo

Que ano foi este! De empresários calculistas a amigas invejosas e um garoto de quem simplesmente não consegui me livrar. (Garoto Brooklyn, se está lendo este post, e eu sei que está, que bom que você se manteve por perto como aquele chiclete irritante na sola do meu sapato — haha ☺)

Quando as pessoas dizem que a vida é um caminho, e que esse caminho às vezes é muito acidentado e cheio de curvas e você não sabe para onde ele vai, pode ser bem assustador. Acho que tudo tem um motivo para acontecer, então, sejam quais forem os obstáculos, os trechos livres vão compensar, e no fim tudo dá certo.

Se há um ano alguém me dissesse que eu passaria a noite de Ano-Novo com o Garoto Brooklyn, eu teria dado risada (não esqueçam que normalmente eu sou muito azarada). É tudo tão perfeito que agora não consigo imaginar a vida sem ele. Ele se tornou tão permanente quanto os penhascos brancos, e não tenho a menor dúvida de que nosso relacionamento vai durar. Sei que isso parece maluco, mas a gente simplesmente encaixa.

De fato, tudo na minha vida está bem agora. Eu me afastei de algumas amizades negativas e formei outras mais saudáveis que só me dão mais alegria. Ainda tenho meu melhor amigo, meu maior incentivador, e estou muito feliz por ele também estar em um relacionamento de amor e sinceridade com um dos garotos mais legais que eu conheço.

Acho que o que fez tudo dar certo foi decidir cuidar de mim antes de qualquer outra pessoa. Como você pode ser feliz de verdade com alguém se não está feliz com você mesmo? Acho que progredi muito este ano em relação aos meus objetivos pessoais. É claro, eu consegui ter uma exposição das minhas fotos organizada por F-P Nouveau, mas isso aconteceu porque outra coisa se acendeu dentro de mim. Eu estive mais determinada do que nunca a provar para mim mesma que eu POSSO fazer o que eu quiser, se me dedicar a isso de verdade. Eu não precisava de mais ninguém fazendo as coisas por mim, eu não precisava da mídia, eu não precisava de um cara (guitarrista dos sonhos ou não), e, definitivamente, eu não deixaria a ansiedade me atrapalhar. Quando eu comecei a realizar mais coisas, as outras foram se encaixando naturalmente.

Depois da resposta avassaladora ao meu pedido de fotos, quero que meu espaço aqui no *Garota Online* continue sendo nosso pequeno ponto de encontro, nossa comunidade, onde todos nós podemos nos ajudar e espalhar positividade. Podemos ser todos parte de uma rede de apoio para nós mesmos para alcançar nossos objetivos pessoais, individuais. Nenhum de nós anda sozinho pelo caminho que leva até lá.

Espero que todos tenham a melhor noite hoje. Vamos nos encher de esperanças e promessas e brindar ao ano que estamos deixando para trás e ao que espera por nós logo ali. E, como sempre, muito obrigada a todos pelo apoio.

Amo vocês.

Garota Online... sempre online xxx

Agradecimentos

Quero começar agradecendo à minha incrível editora e amiga, Amy Alward. Este livro não teria ficado tão bom sem sua ajuda. *Garota online* foi uma parte enorme da nossa vida durante dois anos, e fico feliz por ele ter nos aproximado. Rimos com as sugestões de nomes bregas, comemos muitos morangos e dançamos ao som de várias playlists do Spotify. Além de me orientar ao longo do processo de escrita, você foi uma amiga leal e atenciosa, e eu não poderia ter pedido uma editora melhor. De fato, acho que isso nem existe!

À brilhante equipe da Penguin, que deu vida ao *Garota online*: Shannon Cullen (minha publisher e uma das mulheres mais legais que conheço), Tania Vian-Smith (que SEMPRE sabe como salvar o dia — ela é a fada madrinha da RP e das turnês de divulgação), Clare Kelly (rainha da RP), Natasha Collie (guru do marketing), Jacqui McDonough e Becky Morrison, que criaram capas tão lindas, Wendy Shakespeare, que também faz parte da minha equipe editorial, e todos os outros na Penguin que fizeram isso acontecer por trás dos bastidores. Muito obrigada por terem tornado essa experiência tão agradável e tranquila para mim e me deixado dividir minha história e meus personagens com o mundo.

À equipe Gleam: Dom, Maddie, Phil, Meghan, Ange e minha assistente pessoal, Carrie. Obrigada por tudo que fazem para permitir que isso seja o mais simples possível. Sou mais que grata por poder compartilhar essa jornada com todos vocês que estão ao meu lado.

Meus amigos e família: todos vocês sabem quanto seu amor e apoio contínuos me incentivam todos os dias a continuar saindo da minha zona de conforto. Obrigada por acreditarem sempre em mim e estarem comigo nessa jornada maluca. Eu me sinto a mulher mais sortuda do mundo por ter essa rede de apoio tão sólida à minha volta. Embora metade de vocês ainda não tenha terminado de ler *Garota online em turnê*, eu perdoo. Só não se esqueçam de me contar o que acharam deste livro daqui a quatro anos, ok?

Também quero mencionar meu amigo Mark, que conheci no lançamento do meu livro *Garota online em turnê*. Em um momento da minha vida quando as coisas eram um pouco difíceis, ele foi uma luz no fim do túnel. Eu não sabia que havia espaço para uma nova amizade em minha vida até conhecê-lo. Com ele, ri até sentir dor na barriga, dancei na minha cozinha e dividi vários Wagamamas. Poderíamos ser gêmeos de tão parecidos que somos. Recentemente, ele me perguntou se eu percebi como eu mudei a vida dele. Depois disso, pensei em como ele também mudou a minha. Sou mais confiante, muito mais feliz e muito mais tranquila depois que o conheci. Preserve os amigos que fazem você se sentir única. Eles são muito raros e especiais.

Alfie Deyes. O principal homem da minha vida. Minha rocha, meu mundo e meu maior fã. Eu te amo xxx

Impresso no Brasil pelo Sistema Cameron da Divisão Gráfica da
DISTRIBUIDORA RECORD DE SERVIÇOS DE IMPRENSA S.A.